LE JÉSUITE
ET LE DRAGON

Données de catalogage avant publication (Canada)

Solverson, Howard M. (Howard Marvin)

    Le jésuite et le dragon ; la vie et l'œuvre du père William Mackey au royaume himalayen du Bhoutan

    Traduction de The Jesuit and the Dragon.
    Comprend des réf. bibliogr.

    ISBN 2-89462-017-9

    1. Mackey, William J. (William Joseph), 1915-1996. 2. Missions canadiennes - Bhoutan. 3. Jésuites - Missions - Bhoutan. 4. Bhoutan. 5. Jésuites - Québec (Province) - Biographies. 6. Missionnaires - Québec (Province) - Biographies. I. Titre.

BX4705.M2455S614 1998   266'.2'092   C98-940468-4

Howard Solverson

LE JÉSUITE
ET LE DRAGON

La vie et l'œuvre du père William Mackey
au royaume himalayen du Bhoutan

Traduit de l'anglais
par Madeleine Hébert

Éditions Multimédia Robert Davies
MONTRÉAL - TORONTO - PARIS

Titre original : *The Jesuit and the Dragon*
Copyright © 1995 Howard Solverson
Copyright © 1998 Éditions Multimédia Robert Davies pour la version française
ISBN 2-89462-017-9

DIFFUSION
Canada
A.D.P.
1751 rue Richardson
Montréal, Qc H3K 1G6
Tél. 514-523-1182
France
CED-Dilisco
122 rue Marcel Hartmann
94400 Ivry
Tél. 49-59-50-50 Fax 46-71-05-06
Suisse
Diffulivre
41 rue des Jordils
1050 Saint Sulpice
Tél. 21-691-5331 Fax 691-5330
Belgique
Vander S.A.
321, Avenue des Volontaires1150 Bruxelles
Tél. 322.762.98.04 Fax 322.762.0662

ou chez l'éditeur:
Éditions Multimédia Robert Davies Inc.
330-4999, rue Sainte-Catherine
Westmount, Qc H3Z 1T3 Canada
Tél. 514-481-2440 Fax 514-481-9973
e-mail: rdppub@netcom.ca

L'éditeur remercie le Conseil des Arts du Canada et la Sodec (Québec)
pour leur soutien généreux de ses programmes d'édition.

Dépôts légaux, 2e trimestre 1998, Bibliothèques nationales du Canada, du
Québec, de Paris, de Bruxelles et de Berne.

Ce livre est dédié à la mémoire
du père William Mackey

Table

Remerciements

Pour écrire ce livre, je me suis inspiré presque uniquement des récits du père Mackey. Mais j'ai aussi effectué toutes les vérifications possibles et je suis très reconnaissant aux personnes qui m'y ont aidé. D'autres, aussi, m'ont facilité la tâche en m'hébergeant, parfois pour de longs séjours, et en me donnant de précieux conseils et encouragements; je les en remercie chaleureusement. Je remercie plus particulièrement ma soeur Betty et son mari Tony Pletcher pour leur aide généreuse, le brigadier Amarjit Singh et son épouse, Padmesh Singh, Kunzang Choedron et Mindu, de Thimphu, ainsi que Pat Cupiss, de Toronto. Je désire aussi remercier, au Bhoutan, Lyonpo Dawa Tsering, Dasho Thinley Gyamtsho, Dasho Sonam Tobgye, Dasho Tenzin Dorje, Dasho Kunzang Tangbi, Minyak Tulku, Ugyen Tsering, Lhatu Wangchuk, Aum Dago Beda et Nancy Strickland et, à Delhi, Francis Fanthome. Merci également à Teresa Mackey et à Mike Heney pour les photographies, ainsi qu'aux membres de la compagnie de Jésus qui me sont venus en aide, entre autres les pères Edward Dowling, James McCabe et Richard Sherburne. Je remercie aussi Ken McGoogan pour la révision de l'édition originale anglaise de ce livre, mon éditeur Robert Davies et sa fille Alexa LeBlanc pour leur confiance, Daniel Wood pour ses conseils et ses encouragements, et Françoise Pommaret pour son expertise professionnelle et son soutien. Finalement, je demeurerai éternellement reconnaissant au père William Mackey de m'avoir raconté l'histoire de sa vie avec la plus grande patience du monde.

Note sur les noms bhoutanais

Par le passé, il n'existait pas de noms de famille au Bhoutan. Encore aujourd'hui, c'est un lama qui donne aux nouveau-nés un, deux ou trois noms (habituellement deux). Ensemble, ces noms ont une signification religieuse et ils sont tous utilisés pour se référer ou s'adresser à une personne de façon formelle. Toutefois, c'est le premier nom qui est le plus usité, surtout entre intimes. De plus, on y ajoute souvent le titre officiel de la personne : ainsi, le ministre des Affaires étrangères Dawa Tsering est appelé Lyonpo (ministre) Dawa. Comme plusieurs individus portent souvent le même premier nom, on y ajoute parfois une référence (comme le lieu d'origine). L'élève Jigme Tshultim, originaire du village de Radi, sera appelé par exemple Radi Jigme. Heureusement, les Bhoutanais possèdent un sens très affiné de la généalogie, mais il est très difficile pour les étrangers de s'y retrouver. De nos jours, certaines des «grandes» familles bhoutanaises ont adopté un nom de famille, comme la famille royale Wangchuk et la famille Dorji.

L'orthographe des noms au Bhoutan pose aussi des problèmes aux étrangers. Les noms propres et tous les mots bhoutanais qui ont été transcrits dans notre alphabet proviennent de langues (surtout le dzongkha) qui utilisent un autre système de caractères. Malheureusement, ces transcriptions n'ont pas été effectuées en suivant des principes constants, et il existe plusieurs orthographes différentes des mêmes mots (Wangchuk/Wangchuck, Dorji/Dorje, etc.). Enfin, lorsque deux personnes ont le même nom, elles adoptent souvent des graphies différentes pour éviter la confusion, comme le troisième roi du Bhoutan (Jigme) et son premier ministre (dont le nom a été changé pour Jigmie).

Prologue

LE ROYAUME DU BHOUTAN EST SITUÉ ENTRE L'INDE, au sud, et le Tibet (Chine), au nord. D'une superficie semblable à la Suisse, le pays fait 300 kilomètres d'est en ouest et 175 kilomètres du nord au sud. Au coeur de l'Himalaya oriental, à l'est du Népal et au nord du Bangladesh, il est entièrement recouvert de montagnes, sauf pour une bande de plaines le long de sa frontière méridionale. Ce sont donc les chaînes de montagnes nord-sud qui déterminent la géographie et la démographie du royaume.

De nos jours, le Bhoutan a une population évaluée à 800 000 habitants (1997)*, répartis en général entre les Drupkas (région de l'intérieur) et les Lhotsampas (région du sud). Ces derniers sont d'origine népalaise et se sont installés au Bhoutan à partir de la fin du XIXe siècle. Quant aux Drupkas, qui sont venus du Nord, ils sont divisés en trois groupes linguistiques : les Ngalongs du Bhoutan occidental qui parlent dzongkha, les Sharchopas du Bhoutan oriental qui parlent tsangla et, enfin, les gens du Bhoutan central qui parlent des dialectes du Bumthangkha. Les peuples de l'ouest et du centre descendent des Tibétains qui se sont installés au Bhoutan à partir du VIIe siècle. Les historiens et les anthropologues sont encore à étudier les Sharchopas de l'est qui seraient arrivés beaucoup plus tôt, peut-être du Tibet oriental. À l'exception des hindous du sud, les Bhoutanais sont des bouddhistes appartenant à différentes écoles religieuses tibétaines.

Avant 1960, date de son émergence sur la scène internationale, le Bhoutan était fermé au reste du monde. À cette époque, le pays était encore administré comme il l'avait été depuis trois cents ans et même

---

* *Population et Sociétés,* no 386, juillet-août 1997, Institut national d'études démographiques, Paris. La question de la population du Bhoutan est controversée : certains organismes ont d'autres chiffres, comme la Banque Mondiale qui l'évaluait à 1 605 000 habitants en 1995.

depuis plus longtemps en ce qui concerne les paysans. En 1959, le Bhoutan renonça à sa politique d'isolation et, en 1961, il élabora son premier plan quinquennal de développement. Les responsables de ces changements étaient le roi Jigme Dorji Wangchuk (devenu roi du pays en 1952) et son beau-frère, le premier ministre Jigmie Palden Dorji (appelé communément Jigmie Dorji). En 1959 et en 1960, les deux hommes entreprirent la construction des premières routes à l'intérieur du Bhoutan, une tâche d'envergure à cause d'une géographie capricieuse : versants montagneux très inclinés recouverts de sable, de pierres, de roc solide, de jungles tropicales ou de forêts tempérées. Jusqu'alors, tous les déplacements se faisaient le long des sentiers de montagnes, sauf pour les vols en hélicoptère des dignitaires du pays. Ainsi, la principale voie d'accès du Bhoutan occidental était un chemin de mulets en direction du nord, de Samtse à Ha, à Paro et finalement à Thimphu, la capitale. D'autres sentiers semblables partaient de l'Inde et suivaient les vallées et les rivières jusqu'à d'autres agglomérations plus à l'est, comme Tashigang.

Durant l'été 1989, au Bhoutan, deux cents citoyens bhoutanais se rassemblèrent en fin d'après-midi pour attendre l'arrivée d'un prêtre jésuite canadien de soixante-quatorze ans. Quand le père William Mackey arriva, portant un costume traditionnel bhoutanais tissé à la main, l'orchestre de l'armée royale du Bhoutan se mit à jouer une musique bhoutanaise pour accompagner son entrée dans l'enceinte.

Une fois à l'intérieur, le père Mackey se rendit ensuite, en saluant et en parlant à tout le monde, jusqu'à l'édifice où se déroulerait la fête. Des personnes dans la foule, dont certaines le connaissaient depuis quarante ans, lui drapèrent autour du cou des écharpes cérémonielles de soie blanche. Le jésuite débordait d'énergie et de bonne humeur, et seule sa chevelure argentée trahissait son âge. Le père Mackey s'arrêta un moment sur les marches de l'édifice où, entouré de dignitaires étrangers, d'amis et d'anciens étudiants, il posa pour les photographes. Puis, il entra dans la salle pour assister à la fête donnée en son honneur à l'occasion de son anniversaire. Le jésuite, âgé de soixante-quinze ans selon le compte des Bhoutanais, avait déjà reçu les deux plus hautes récompenses officielles que le Bhoutan pouvait lui accorder : la médaille Druk Zhung Thuksey et la citoyenneté bhoutanaise. Mais les démonstrations exceptionnelles d'amitié de la part des Bhoutanais de toutes les classes lors de cette célébration en août 1989 constituaient la meilleure preuve de la gratitude du Bhoutan envers le prêtre canadien.

Pourtant vingt-six ans plus tôt, après son expulsion de Darjiling (en anglais, Darjeeling), le père Mackey avait dû attendre de longs mois dans la plaine torride de l'Inde pour obtenir des autorités indiennes la permission d'entrer au Bhoutan, un royaume féodal et primitif. À cette époque, ce petit pays des montagnes, appelé Druk Yul par les Bhoutanais, était encore très mystérieux et presque complètement fermé à toute influence extérieure. Il avait besoin des services d'un père jésuite pour fonder sa première école secondaire. Le père Mackey était considéré comme un missionnaire au Canada, mais pas au Bhoutan où on avait besoin de son expertise académique plutôt que religieuse. La religion officielle pratiquée par la majorité de la population bhoutanaise est le bouddhisme tibétain, bien que l'hindouisme des habitants d'origine népalaise vivant dans le sud du pays soit toléré. Les Bhoutanais ne permettent aucune tentative de conversion par les missionnaires d'autres religions; c'est pourquoi leur acceptation d'un prêtre jésuite, et même leur révérence envers lui, sont si surprenantes. Mais le père Mackey ne fut jamais un missionnaire conventionnel. Jamais il n'essaya de convertir les Bhoutanais à la religion catholique et il reconnut avoir lui-même été profondément influencé par le bouddhisme : «Le Bhoutan, dit-il, m'a enseigné comment prier.»

Le travail, la personnalité et la spiritualité de Mackey lui ont conféré le statut de héros au Bhoutan où il faisait l'objet de l'amour et du respect de la population. Un Canadien qui a séjourné avec lui dans la capitale, Timphu, et dans plusieurs villages dit que le jésuite était toujours «accueilli avec joie et chaleur par les marchands, les gardes frontière, les douaniers, les enseignants, les fonctionnaires et les ministres». Même des personnes qui n'avaient jamais vu le père Mackey ni fréquenté ses écoles (ni aucune autre, d'ailleurs) le connaissaient.

Après avoir gagné la confiance des Bhoutanais, Mackey travailla à la modernisation et au développement du système d'éducation au Bhoutan. À partir des quelques écoles primaires existant en 1960, il contribua à le transformer de façon appréciable puisqu'on compte de nos jours au Bhoutan 92 000 écoliers répartis dans 143 écoles primaires, 25 écoles secondaires, deux écoles normales, deux instituts techniques et une université. Comme le dit un observateur : «Aucun autre pays n'a connu un développement aussi spectaculaire de son système d'enseignement. Le Bhoutan a réalisé en vingt-cinq ans ce que d'autres ont mis des siècles à accomplir.» C'est le père Mackey, un jésuite du Canada, qui fut le moteur de cette transformation. Il vécut la plus grande partie de sa vie loin de son pays natal pour donner le meilleur de lui-même à ses deux pays d'adoption, l'Inde et le Bhoutan, qui à leur tour lui apprirent beaucoup.

Chapitre 1

TOUTE SA VIE, WILLIAM JOSEPH MACKEY DUT FAIRE LE PONT entre des réalités contradictoires. Dès dans sa jeunesse, il fit l'expérience des dichotomies typiquement canadiennes : francophones et anglophones, catholiques et protestants. Puis en Inde, où il habita pendant dix-sept ans, il y avait l'opposition, d'une part, entre Bengalis et Népalais et, d'autre part, entre hindous et catholiques. Enfin au Bhoutan, durant plus de trente ans, le jésuite fut confronté aux dualités entre Drupkas et Népalais, Drupkas et Sharchopas, bouddhistes et catholiques.

«Billy» Mackey est né à Montréal le 19 août 1915, le fils d'immigrants de première génération. Sa mère, Kitty Murphy, était une institutrice irlandaise catholique arrivée d'Angleterre dans sa jeunesse. Son père, Herbert Mackey, était un protestant d'origine irlandaise dont la famille habitait en Angleterre depuis plusieurs générations. Herbert et Kitty firent connaissance dans une boulangerie de Londres. Herbert quitta l'Angleterre le premier et émigra au Canada en réponse à une annonce demandant des travailleurs agricoles. Un fermier de Danville au Québec lui paya son voyage, et Herbert travailla pour lui pendant deux ans. Puis il devint conducteur de tramway à Montréal. Par la suite, il fut promu inspecteur puis superviseur de la circulation, jusqu'à ce que des problèmes à la jambe l'obligèrent à prendre une retraite anticipée.

Kitty Murphy suivit Herbert Mackey au Québec et elle travailla d'abord dans un couvent à Richmond et, ensuite, sur une ferme des environs de Melbourne qui appartenait à une famille s'appelant Murphy comme elle. Herbert se convertit alors au catholicisme et épousa Kitty à Richmond en 1910. Kitty lui donna sept enfants, dont quatre seulement survécurent : Teresa (Tess), James (Jim), William (Billy) et Isabel (Bella). À Montréal, les Mackey vécurent à Saint-Henri, un quartier d'Irlandais, de Français, d'Italiens et d'Anglais où existait une grande rivalité entre les divers groupes ethniques, qui se manifestait surtout aux terrains de jeux et sur les patinoires.

À cette époque, la vie des familles ouvrières et de classe moyenne gravitait autour de la maison familiale. Le principal divertissement de la semaine était une «veillée» le samedi, chez l'une ou l'autre des familles, pendant laquelle les adultes jouaient habituellement aux cartes. Il y avait aussi des chansons, des conversations et beaucoup de jeux où «ça brassait beaucoup», selon l'expression de William Mackey. Durant ces soirées, les adultes ne buvaient pas beaucoup d'alcool, seulement un verre ou deux de bière Molson. Les jeunes organisaient aussi de temps à autre des danses où l'alcool était interdit.

La vie familiale des Mackey, même s'il y avait parfois de petits différends, était un modèle d'activité, d'affection et de bonne humeur. Le salaire de Herbert suffisait aux besoins de la famille, et Kitty était une bonne couturière qui confectionnait une bonne partie des vêtements. Les Mackey n'étaient pas riches, mais ils pouvaient se permettre de temps en temps une sortie au parc d'attractions ou une journée de pêche.

Les parents, conscients de leurs responsabilités contribuèrent chacun à l'éducation des enfants. La mère, grâce à sa formation d'institutrice, pouvait les aider dans leurs travaux scolaires. Et le père, même s'il n'avait pas autant d'éducation, transmit à sa progéniture son intérêt pour toutes sortes de sujets et son goût de la lecture. Ainsi, dès son jeune âge, Billy lut les livres que Herbert rapportait régulièrement à la maison de la bibliothèque.

Plus tard, Billy décida peut-être de devenir jésuite à cause de l'éducation catholique reçue de sa mère. Mais la tolérance des opinions du futur jésuite en matière de religion s'inspirait probablement de la dualité religieuse de sa famille (le catholicisme de sa mère et, malgré sa conversion, le protestantisme de son père). La variété des groupes religieux, ethniques et linguistiques dans son quartier d'enfance y furent aussi sûrement pour quelque chose.

Durant sa jeunesse, Billy Mackey se consacra avec ardeur à des activités de «garçon», comme le scoutisme et les sports, où il excellait. À l'école primaire et secondaire, il jouait à la crosse. En 1932, l'année précédant son entrée chez les jésuites, son équipe remporta les championnats montréalais, provincial et national. Mais son sport préféré était le hockey. Il le pratiqua durant toutes ses années scolaires, y compris celles dans l'équipe du collège Loyola de la ligue juvénile où, même comme joueur de défense, il était un excellent marqueur. Plus tard, il fut considéré sérieusement pour faire partie de l'équipe du Canadien junior et il fut invité quelques fois à jouer avec l'équipe au Forum pour remplacer des joueurs blessés ou malades. S'il n'avait pas choisi de suivre sa vocation religieuse, il aurait peut-être pu faire carrière dans le hockey professionnel.

Billy Mackey fréquenta l'école catholique anglaise à Montréal; on l'inscrivit d'abord à St. Michael puis à St. Thomas Aquinas. Un de ses premiers professeurs fut M. Kelly, qui enseignait les mathématiques et qui le marqua particulièrement par son enthousiasme et son sens de l'humour. À la fin de son cours primaire, même si plusieurs de ses camarades arrêtaient leurs études, le jeune Mackey voulait poursuivre son éducation et il prit part à un concours pour obtenir une bourse qui lui permettrait de s'inscrire au collège Loyola. On lui octroya une demi-bourse, c'est-à-dire cinquante dollars par année, une bonne somme à l'époque. Pendant son cours secondaire, le jeune Billy se classa toujours parmi les premiers de son groupe. Il brillait dans toutes les matières, sauf en français. De plus, il était capitaine des équipes de hockey et de football. Il devait aussi faire partie du corps de cadet, où il fut éventuellement promu capitaine.

Durant son enfance, Billy passa plusieurs de ses vacances d'été à donner un coup de main à la ferme des Murphy où sa mère avait travaillé en arrivant au Canada. Plus tard, en 1927, il obtint son premier travail d'été en ville : il vendait la *Gazette* le matin à un stand de journaux au coin des rues Victoria et Sherbrooke et il distribuait le *Montreal Star* l'après-midi aux abonnés de Westmount. L'année suivante, il décrocha l'emploi idéal pour un adolescent : serveur au casse-croûte de la pharmacie Tremblay, située sur la rue Sainte-Catherine devant le magasin Simpson. Il avait la permission du propriétaire de manger tous les *sundaes* et les *ice cream sodas* qu'il voulait. Mais au bout de trois jours, il en avait assez et n'en mangea pratiquement plus tout le reste de l'été. Puis, pendant l'été de 1929, il travailla au restaurant Murray's près du cinéma Loews. Pendant les vacances de 1930, Billy fut placier au cinéma Séville, près du Forum. Même s'il était alors trop jeune pour ce travail, on l'engagea quand même parce qu'il était grand pour son âge et très responsable. Mais les journées étaient longues (de onze à vingt-trois heures) et le travail exigeant, car il était parfois difficile de satisfaire la clientèle variée du cinéma. Enfin, l'été précédant la fin de son cours secondaire, le jeune Mackey fut engagé comme serveur au prestigieux Seigneury Club à Montebello, où sa soeur travaillait comme secrétaire. À peine âgé de seize ans, il s'acquitta de ses tâches avec courtoisie et efficacité.

Les expérience de travail apprirent à Billy Mackey l'art des relations personnelles, alors que son éducation au collège Loyola le prépara à un autre aspect de sa future carrière. Par exemple, les classes d'élocution, avec leurs discours improvisés, développèrent son habilité à prononcer des sermons. Et le collège jésuite comptait parmi ses professeurs et ses employés non seulement des prêtres mais aussi des scolastiques comme le père McInerney, un homme dans la trentaine qui avait les pieds bots et devait porter des chaussures orthopédiques. Son attachement à l'enseignement, sa patience, sa gentillesse et sa dévotion impressionnèrent grandement Billy. En préparation à la prêtrise, les jeunes scolastiques devaient enseigner pendant trois ans et, souvent, les élèves du collège étaient plus à l'aise avec eux qu'avec les prêtres, plus vieux et plus sérieux.

Le jeune Mackey se sentait de plus en plus attiré par la vocation religieuse. À partir de la troisième année de son secondaire, il considéra non seulement d'embrasser la prêtrise mais aussi de devenir jésuite. Au collège, il faisait partie de Sodality, un groupe social et de service jésuite visant à intensifier l'expérience religieuse. Il participa aussi à la retraite au début de chaque année scolaire, où les pères discutaient avec les élèves de leur vocation. Une carrière au hockey professionnel attirait toujours Billy, mais sa vocation religieuse était plus forte. Il discuta donc avec le père McInerney de son désir de devenir membre de la compagnie de Jésus. Celui-ci lui conseilla la réflexion afin d'être sûr de faire le bon choix. Il lui dit aussi que, avant d'être accepté au noviciat, tout aspirant devait rencontrer le supérieur des jésuites anglophones, le Père Provincial Hingston.

Le printemps suivant, Billy rencontra donc le père Hingston venu de Toronto pour visiter le collège Loyola. À cette occasion, celui-ci remit au jeune Mackey un bréviaire en latin en lui demandant d'en traduire un passage. Il examina ensuite ses bulletins scolaires, qui étaient excellents, surtout en mathématiques. Impressionné, le Père Provincial annonça au jeune élève qu'il donnerait suite à sa demande et que d'autres jésuites l'intervieweraient dans quelque temps. Le mois suivant, Billy rencontra en tête-à-tête quatre jésuites qui lui posèrent plusieurs questions sur les voeux de chasteté, de pauvreté et d'obéissance prononcés par les jésuites. Après ces rencontres, le père McInerney promit une réponse dans un avenir prochain.

Après avoir complété avec succès son cours secondaire en juin 1932, Billy reçut une lettre de la compagnie de Jésus de Toronto. Sa demande avait été acceptée, et il devait se présenter au noviciat de Guelph (Ontario) le quatorze août suivant. Même s'il était très heureux de cette nouvelle, le jeune homme vivait alors des moments très difficiles car sa mère était à l'hôpital St. Mary, où elle se mourait des suites de la grippe espagnole contractée plusieurs années auparavant. Après avoir reçu la lettre de la compagnie de Jésus, le jeune Mackey se rendit le soir même à l'hôpital et annonça à sa mère son admission au noviciat des jésuites. Pour Kitty Mackey, fervente catholique, cette nouvelle fut une grande consolation. Elle mourut quelques jours plus tard, le 24 juin.

Billy était très triste de la mort de sa mère, mais il était soulagé que ses souffrances aient pris fin et qu'elle soit maintenant au ciel. Six jours avant son dix-septième anniversaire deux mois plus tard, le jeune Mackey prit le train du soir pour Guelph à la gare Windsor de Montréal. En banlieue de Guelph, dans une ancienne ferme transformée pour accueillir soixante jeunes séminaristes, se trouvait le noviciat St. Stanislaus où Bill passerait les quatre années suivantes.

Les deux premières années d'apprentissage chez les jésuites étaient centrées sur le développement spirituel. D'abord, Bill Mackey fit une retraite de trente jours en octobre, une période «d'exercices spirituels» consistant en une série de conseils, de prières et de méditations. Ces exercices, communs aux jésuites du monde entier, furent définis par Ignace de Loyola, le fondateur de la société de Jésus en 1534. Ils ont pour but d'ancrer le jeune jésuite dans sa vocation et de déterminer s'il est apte à la vie religieuse. Ensuite, en plus de la lecture quotidienne de textes religieux et la participation à quelques cours, le jeune Mackey se livra à d'autres exercices ou «expériences» : il travailla comme apprenti tailleur, aida aux travaux de la ferme, enseigna le catéchisme dans les écoles du voisinage, prêta main forte aux cuisines et occupa le poste de carillonneur, qui sonnait les cloches et nettoyait les toilettes. De plus, il entreprit sans argent un voyage solitaire à pied d'une durée de deux semaines. Enfin, pendant sa deuxième année à Guelph, il enseigna le latin et le grec aux novices de première année et fut nommé porte-parole de tous les novices de l'école.

Le 15 août 1934, le jour de l'Assomption, Bill Mackey termina son noviciat et prononça ses premiers voeux. Il pouvait maintenant ajouter les initiales «s.j.» (société de Jésus) à son nom. Il était maintenant prêt à commencer la deuxième étape de son apprentissage, le juvénat (également d'une durée de deux ans), une formation plus académique axée sur l'anglais et les classiques avec une priorité sur la communication, l'écriture et la lecture. Il étudierait aussi le grec, pour lire les Saintes Écritures dans le texte, et le latin, encore utilisé couramment dans l'Église catholique à cette époque. Le programme d'études dispensé à Guelph était l'équivalent d'une solide formation universitaire, avec une majeure en anglais. Bill réussit tous ses examens sans aucune difficulté, ce qui lui fournit la base de son baccalauréat en arts qu'il terminerait quelques années plus tard.

Après sa retraite annuelle en 1936, le jeune Mackey, âgé maintenant de vingt et un ans, se rendit à Toronto où il passa les trois années suivantes au Christi Regis College et habita dans la vieille Loretto Abbey, situé au numéro 403 de la rue Wellington. Au «403», Bill étudia la philosophie de façon intensive, avec quatre cours par jour et de longues lectures. Il avait congé le jeudi et le dimanche ainsi que la moitié de la journée le mardi et le samedi; il devait consacrer ces temps libres à des activités en rapport avec sa vocation. Comme l'éducation l'intéressait beaucoup, il enseignait le catéchisme le mardi et le jeudi dans une école d'une paroisse italienne du nord-ouest de Toronto. Les scolastiques devaient aussi rédiger une thèse traitant d'histoire, de littérature, des langues, des Écritures, d'enseignement religieux, de psychologie et de pédagogie. On leur offrait aussi la possibilité d'assister à des conférences et de suivre des cours à l'Université de Toronto. Bill Mackey choisit comme sujet les Exercices spirituels de saint Ignace.

Durant cette période, Bill ne s'adonnait pas qu'à des activités académiques. Il jouait souvent au hockey l'hiver avec ses camarades d'études. Pendant ses vacances de trois semaines l'été, il pratiquait plusieurs sports au Stanley House, la propriété des jésuites sur le lac Saint-Joseph : natation, canotage, pêche, etc. Ces activités physiques faisait contrepoids aux efforts intellectuels intenses du jeune jésuite et lui permettaient de conserver un bon équilibre.

En complétant avec succès ses études en philosophie en 1939, Bill Mackey obtint deux diplômes. Son juvénat et son travail au collège Christi Regis lui méritèrent un baccalauréat en arts (*summa cum laude*) de l'Université de Montréal, et il reçut aussi une licence en philosophie du Collège Grégorien de Rome.

L'étape suivante dans le long processus de Bill pour devenir un jésuite était la régence, d'une durée habituelle de trois ans. Les scolastiques pouvaient alors être affectés à l'un des sept collèges jésuites au Canada et, à sa grande surprise, Bill apprit qu'il irait au collège Jean-de-Brébeuf à Montréal. La compagnie de Jésus plaçait souvent les scolastiques aux endroits où ils seraient obligés d'apprendre l'autre langue officielle du Canada. La faiblesse du jeune Mackey en français lui valut donc un emploi dans sa ville natale.

Le collège Jean-de-Brébeuf était une institution francophone pour garçons de bonne famille, et la principale tâche de Bill Mackey y serait l'enseignement de l'anglais dans les dernières classes du secondaire et celles du collégial. L'école avait entrepris une remaniement des cours d'anglais, et le nouveau professeur devrait trouver lui-même les livres convenant au nouveau programme. Celui-ci se mit à l'ouvrage avec enthousiasme. Il décida de mettre la littérature au premier plan dans ses cours, même si le principal objectif du programme était la maîtrise de la grammaire et des autres connaissances de base de la langue. Il croyait que la lecture d'oeuvres littéraires, la rédaction de compositions et la mise en scène de pièces de théâtre en anglais lui permettraient d'atteindre ce but.

Le jeune Mackey était aussi le père préfet de la division des petits; les tâches rattachées à cette fonction incluaient l'organisation des activités sportives et parascolaires pour les garçons de moins de seize ans. À vingt-quatre ans, Bill était encore un bon athlète jouant au baseball, au basket-ball, au football, au hockey et à la crosse. Plusieurs

Canadiens français étaient surpris de voir un «Anglais» jouer à la crosse mieux qu'eux. Pendant son séjour à Brébeuf, le jeune jésuite fut l'entraîneur de plusieurs équipes sportives et il créa même une équipe de basket-ball qui remporta le championnat de la ligue. Il pratiquait aussi le ski et le saut à la perche.

Dans les années à venir, Bill Mackey deviendrait célèbre pour une activité qu'il commença à pratiquer à Brébeuf : la gymnastique. En jouant au football à l'école secondaire, il avait appris à culbuter, à tomber et à rouler pour ne pas se blesser. Un gymnaste professionnel, le major St-Pierre de la Palestre nationale, vint au collège enseigner les rudiments des sauts sur cheval et certains aspects de la gymnastique. Bill était très en forme et désireux d'apprendre, et il fit des progrès rapides. Bientôt, il maîtrisa plusieurs exercices standard et ajouta même ses propres variantes, en utilisant des anneaux de feu et en préparant des présentations rappelant un peu le cirque. La gymnastique demeurerait un des intérêts principaux de Bill durant toute sa carrière.

Les années passées au collège Brébeuf constituèrent pour le jeune Mackey une bonne préparation au travail qu'il accomplirait par la suite en Inde et au Bhoutan. Cela lui donna l'occasion d'apprécier une culture différente, et son apprentissage du français lui enseigna l'art de s'adapter à des situations et à un milieu nouveaux. Il approfondit aussi sa compréhension de la psychologie et du comportement des jeunes, et apprit comment obtenir le meilleur de ses étudiants. Après trois années d'apprentissage et d'enseignement couronnées de succès, Bill Mackey décrocha un diplôme en éducation physique du collège Jean-de-Brébeuf. Il avait beaucoup aimé son travail et était devenu ami pour la vie avec certains des élèves. Il reviendrait souvent par la suite visiter le collège, qu'il considérait comme sa deuxième demeure.

À la fin de sa régence en 1942, Bill Mackey fut placé avec quelques autres scolastiques anglophones dans un programme de théologie au collège Immaculée-Conception, situé près du parc Lafontaine à Montréal. Cela lui permettait non seulement de continuer à perfectionner son français mais aussi de vivre dans un milieu plus cosmopolite. La Deuxième Guerre mondiale faisait alors rage, et le collège Immaculée-Conception attirait plusieurs étudiants en théologie qui, en temps de paix, auraient plutôt poursuivi leurs études en Europe. Le groupe de Bill comptait, en plus des Canadiens anglophones et francophones, des Américains et des Européens, dont quelques Allemands. Cette variété plaisait au jeune jésuite et lui permit d'élargir ses horizons.

À cause de la guerre et de la présence d'étudiants supplémentaires qu'elle entraînait, le collège Immaculée-Conception manquait d'espace de logement. Pour régler le problème, le recteur décida que les étudiants canadiens-anglais logeraient dans trois édifices situés à vingt minutes de marche de l'institution. Cela représentait une grande amélioration de leurs conditions de vie pour les scolastiques anglophones, qui échapperaient ainsi en partie à la règle médiévale européenne du collège. Le père Bernard Lonergan, un de leurs professeurs et futur grand théologien qui supportait mal le règlement d'inspiration médiévale du collège, demanda aux jeunes jésuites anglophones de lui prêter la clé de leur appartement. En échange, il leur donna une clé du collège pour qu'ils puissent entrer et sortir à leur guise. La vie en appartement apportait un avantage inattendu aux scolastiques anglophones. Alors qu'au collège, les étudiants anglophones étaient considérés comme moins intellectuels que leurs camarades francophones, ils réussissaient pourtant mieux aux examens. Les Canadiens français et la direction n'y comprenaient rien jusqu'à ce que le père Lonergan leur dise : «C'est très simple. Ces étudiants peuvent se détendre mais vous, vous en êtes incapables. La règle est beaucoup trop stricte ici.» Ces observations amenèrent certains assouplissements à la règle du collège. Cependant, l'obligation de porter la soutane en tout temps, même pour faire du sport, fut maintenue. Certains étudiants, dont Bill Mackey, contournaient toutefois cette règle en portant une «fausse soutane», qui n'était qu'un triangle de tissu cousu au bas arrière de leur chandail de hockey pour laisser croire qu'ils portaient une vraie soutane sous leurs vêtements!

Pendant qu'il étudiait et enseignait à Montréal, Bill Mackey eut l'occasion de visiter plusieurs églises. Comme on manquait alors de prêtres dans les paroisses montréalaises, lui et ses camarades d'études étaient souvent invités à prononcer le sermon en anglais à des messes dans des paroisses françaises. Le jeune Mackey prononça son premier sermon à l'église du Gésu, sur la rue Bleury, où ses sœurs Tess et Bella vinrent l'entendre.

Le 15 août 1945, au lendemain de la fin de la Deuxième Guerre mondiale, Bill Mackey fut finalement ordonné prêtre par l'archevêque Joseph Charbonneau. Il était maintenant officiellement devenu le «père Mackey» et il célébra plusieurs fois la messe dans les jours suivant son ordination. Son ancienne paroisse l'invita à dire une grand-messe à laquelle assisteraient ses vieux amis le dimanche 19 août, jour de son anniversaire. À titre d'officiant, William devait entonner les chants religieux au cours de la cérémonie. L'organiste et directrice de la chorale connaissait le jeune prêtre depuis l'enfance. «Billy, quelle note devrais-je te donner?» lui demanda-t-elle. «Donnez-moi celle que vous voulez, répondit-il du tac au tac, mais je ne vous redonnerai pas la même!»

Un jour, le recteur du collège Immaculée-Conception dit à William Mackey qu'un malade à l'hôpital Notre-Dame, de l'autre côté du parc Lafontaine, demandait un prêtre parlant anglais. À la réception de l'hôpital, l'infirmière expliqua au père Mackey que le patient se mourait du cancer et qu'il avait en plus un gros problème : «C'est un catholique qui a divorcé et s'est remarié. Il craint qu'un prêtre ne lui donne pas l'absolution.» Le père Mackey alla s'asseoir près du malade. Après un moment, celui-ci se confia au prêtre. Sa première femme était morte depuis le divorce mais l'Église, parce qu'elle n'acceptait pas le divorce, ne reconnaissait pas son deuxième mariage. «Je vis avec ma deuxième femme depuis des années, dit-il, je ne peux pas lui demander de m'épouser de nouveau.» «Mais pourquoi pas? s'enquit le père Mackey. Je vais m'en occuper.»

En sortant de la chambre du malade, le père Mackey rencontra l'épouse de celui-ci, qui accepta avec joie la proposition du jésuite. Il fallait toutefois une permission spéciale de l'évêque. Avant la cérémonie, les infirmiers de l'hôpital installèrent le malade dans une chambre privée décorée de fleurs et aménagée spécialement pour l'occasion. Le mariage eut lieu le mercredi soir et le lendemain, Jeudi saint, le père Mackey donna la communion aux époux.

Le malade mourut dix jours plus tard, et sa femme vint voir le père Mackey afin de lui demander de l'aide pour organiser des funérailles catholiques. Le jésuite demanda au curé de la paroisse Saint-Dominique de célébrer la cérémonie gratuitement car la famille était très pauvre. Le père Mackey dit la messe à laquelle assistèrent l'épouse du défunt, ses parents et amis protestants. La veuve, très reconnaissante envers le père Mackey, correspondit pendant des années avec lui et lui envoya même des dons pour ses missions à l'étranger.

Depuis sa fondation, l'ordre des jésuites avait toujours été une congrégation de missionnaires, ce qui intéressait vivement le père Mackey. À Guelph, il écouta les histoires d'un jésuite qui travaillait chez les Ojibwés du nord-ouest de l'Ontario. Au collège Immaculée-Conception, il rencontra des missionnaires œuvrant en Chine et en Éthiopie. Ces occasions avivèrent son désir d'être missionnaire. Mais la congrégation des jésuites de la province du Haut-Canada, à laquelle il appartenait, n'avait pas encore d'œuvres missionnaires en dehors du Canada. En 1945 toutefois, on annonça la possibilité d'en établir une en pays étranger. William Mackey demanda alors par lettre d'être accepté comme missionnaire, même s'il ignorait encore l'endroit de la future mission.

En 1946, le père Mackey compléta ses études au collège Immaculée-Conception et ajouta une licence en théologie à ses diplômes. Il avait appris entre-temps que la nouvelle mission serait située à Darjiling en Inde, et il écrivit de nouveau pour réitérer son engagement mais il ne savait pas encore s'il en ferait partie. Son nouveau poste était celui d'adjoint au sanctuaire des Saints Martyrs canadiens à Midland (Ontario), qui honore la mémoire des jésuites missionnaires au Canada tués par les Améridiens au XVIIe siècle. Le père Mackey s'intéressait à cette période de l'histoire du pays et aux recherches archéologiques qu'effectuait à ce moment le professeur Drury, de London en Ontario, pour déterminer l'emplacement du fort Saint-Ignace décrit dans *Les relations* des jésuites.

Peu après, William Mackey apprit qu'on l'avait accepté comme missionnaire et qu'il se rendrait à Darjiling. En attendant le départ, il dirigea plusieurs retraites, enseigna brièvement au collège Loyola et prit la parole dans différentes paroisses et écoles. Finalement, en décembre 1946, il retourna à Montréal pour préparer ses bagages et rejoindre ses collègues missionnaires : les pères Maurice Stanford, Bill Daly et John Prendergast ainsi que le frère Paul Robin. La cérémonie de départ, à laquelle assistèrent plusieurs jésuites ainsi que la famille et les amis des cinq missionnaires, fut célébrée au collège Loyola le 9 décembre 1946 en présence du Père Provincial des jésuites du Haut-Canada, le père John Swain. Le père Reid, de l'ancienne paroisse de William Mackey et qui avait été le premier à l'encourager dans sa vocation, prononça le sermon.

Le lendemain, le père Mackey fit ses adieux à sa famille, à ses amis et aux jésuites de Loyola à la gare Windsor, puis il monta dans le train pour Halifax avec ses compagnons. Les missionnaires quittaient Montréal en croyant qu'ils ne reviendraient jamais au Canada. Le 15 décembre, ils embarquèrent à Halifax sur un cargo, le *Bayano,* à destination de l'Angleterre. Après une rude traversée, leur navire arriva à Liverpool la veille de Noël.

Comme les missionnaires ne devaient partir pour l'Inde que deux semaines plus tard, William Mackey décida de se rendre en Irlande afin de voir la maison familiale de sa mère. Dans le pays de ses ancêtres, il fut surpris de l'attitude respectueuse et craintive des Irlandais envers le clergé. En apprenant qu'il était un jésuite, quelqu'un lui dit : «C'est bizarre, vous ne ressemblez pas aux jésuites irlandais. Vous avez l'air humain.» Le père Mackey rejoignit ensuite ses compagnons missionnaires à Londres, d'où ils partirent en direction de Southhampton. Le 5 janvier 1947, les jésuites montèrent à bord du paquebot *Strathmore* qui devait les emmener en Inde.

Chapitre 2

LE DISTRICT INDIEN DE DARJILING COMPREND LA PARTIE DE L'ÉTAT du Bengale-Occidental qui se trouve sur les contreforts de l'Himalaya. Durant l'occupation coloniale, les Britanniques avaient baptisé Darjiling du nom de «Reine des stations d'altitude». C'étaient pour eux l'endroit privilégié où ils pouvaient échapper à la chaleur insupportable des plaines de l'Inde durant l'été, surtout en mai et en juin avant le début de la mousson. Déjà en 1947, lorsque le père Mackey y arriva, la combinaison de bonnes conditions de sol et de climat l'avait rendu célèbre comme région productrice de thé. Au centre de ce district est située la ville de Darjiling, dotée de panoramas spectaculaires, comme celui de la splendide montagne Kanchenjunga. À cause de son climat agréable, les différents organisations missionnaires avaient toujours considéré la ville et la région montagneuse qui l'entoure comme un bon endroit pour y établir leurs écoles. À cette époque, même si les villes de Kurseong et de Kalimpong avaient une importance en éducation disproportionnée par rapport avec leur taille, c'était la ville de Darjiling qui possédait les meilleures écoles de la région.

William Mackey allait donc découvrir le district de Darjiling, situé à 2185 mètres d'altitude sur une crête en forme de croissant et dont le côté concave faisait face à l'ouest. La partie principale de la ville du même nom est localisée au centre du croissant. À l'extrémité nord, appelée North Point, se dressait le collège Saint-Joseph, fondé en 1888 par des jésuites belges. Une autre institution jésuite était installée au centre de la ville : l'école secondaire St. Robert, logée dans un ancien hôtel situé en contrebas de la place centrale Chowrasta et au nord du Chowk Bazaar, un endroit très achalandé. Un peu plus bas sur la colline, se trouvait le couvent Loreto, dirigée par les soeurs Loreto d'Irlande. Il y avait aussi une école secondaire anglicane très chic, St. Paul, et une autre école protestante, Mount Hernon, où travaillaient des missionnaires australiens. Ces maisons d'enseignement dispensaient toutes des cours en langue anglaise.

Dans les écoles primaires de Darjiling, les cours se donnaient généralement en népalais, reflétant ainsi la position majoritaire des personnes d'origine népalaise dans le district de Darjiling. Ensuite, les étudiants poursuivaient leurs études en anglais dans des institutions de niveaux secondaire et universitaire, dont les meilleures étaient dominées par l'élite locale et avaient fortement subi l'influence britannique. En fait, la plupart des meilleurs écoles de l'Inde avaient été créées par les Britanniques pour leurs propres enfants et ceux des Indiens des classes dominantes.

Le père Mackey et ses compagnons posèrent le pied en Inde à Bombay, où leur navire avait accosté. Il leur faudrait ensuite dix jours pour parvenir jusqu'à Darjiling. D'abord, ils devaient d'abord faire un long périple en train jusqu'à Calcutta. À la gare de Bombay, les jésuites canadiens furent très surpris de voir les coolies transporter leurs lourdes malles sur leur tête jusqu'aux wagons. Le voyage en train, qui leur fit parcourir l'Inde d'ouest en est, fut absolument fascinant pour les missionnaires. Tout étonnait les prêtres canadiens : les divers panoramas des régions traversées, la nourriture étrange mais savoureuse et la variété étonnante des gens rencontrés.

À chaque gare où le train s'arrêtait, les jésuites étaient complètement ébahis par le spectacle qui s'offrait à eux, celui d'une foule bigarrée où se pressaient des hommes en complets ordinaires et d'autres en turbans et en pantalons de coton blanc léger, des femmes portant des saris souillés, des jupes et des blouses colorées ou des pantalons et des tuniques. Il y avait aussi des vendeurs proposant des fruits et des aliments exotiques, des mendiants accroupis, des chiens endormis et même des vaches déambulant sur le quai. La manière de préparer et de servir le thé étonna également les voyageurs. Le *cha-walla* était versé dans de petites tasses d'argile non cuites et que l'on passait aux passagers par les fenêtres du wagon. Une fois le thé terminé, on jetait ces tasses sur la voie ferrée, où elles se fracassaient et se recyclaient en se mêlant au sol de façon très naturelle! Pour déjeuner, le dépaysement n'était pas trop grand par contre, puisque les pères trouvaient habituellement un oeuf pour accompagner le pain et le thé. Les autres repas consistaient en différents currys et riz très épicés, auxquels les jésuites avaient un peu de difficulté à s'habituer.

À Calcutta, les prêtres furent abasourdis par la foule innombrable encombrant la gare Howrah et le chaos incroyable qui y régnait. Heureusement, ils furent pris en charge, comme à Bombay, par des collègues jésuites. Les missionnaires confièrent leurs bagages à un coolie, qui les déposa dans son chariot pour les transporter dans les rues de Calcutta jusqu'à destination. Puis ils prirent un taxi pour se rendre au collège jésuite St. Xavier, où ils devaient séjourner quatre jours.

Ce court séjour à Calcutta permit aux nouveaux arrivants de faire la connaissance de l'évêque du diocèse et de visiter cette ville fascinante. Ils furent très surpris de constater le respect que démontrait la population envers les occidentaux. L'Inde allait bientôt devenir un pays indépendant (le 15 août 1947), mais au début de l'année elle était encore une colonie britannique où les «Européens» étaient traités avec une courtoisie exagérée. Le père Mackey noterait un changement marqué de ces manières dans les années qui allaient suivre. Pour mieux découvrir Calcutta, le père Daly suggéra au père Mackey de l'accompagner pour une ballade à vélo dans cette ville chaotique. Celui-ci accepta, et les deux prêtres partirent sur des bicyclettes empruntées aux pères de St. Xavier. En sortant de l'enceinte du collège sur Park Street, ils s'arrêtèrent brusquement, surpris que tous les véhicules roulaient du «mauvais» côté de la rue!

Après ce repos de quelques jours, le groupe de William Mackey prit le train à destination d'une petite mission située non loin de Calcutta, où il ferait sa première expérience de la campagne indienne. Ensuite, les jésuites visitèrent une mission qu'on ne pouvait atteindre que par bateau. Durant ce périple, on leur fit boire du lait à même des noix de coco très différentes de celles qu'ils connaissaient déjà; elles étaient vertes et beaucoup plus grosses que d'habitude car elles étaient encore entourées de leur gangue.

La destination finale du père Mackey était la petite ville de Kurseong, située sur les contreforts de l'Himalaya au sud de Darjiling. Pour s'y rendre, il monta dans le Darjeeling Mail avec ses quatre collègues missionnaires, qui voyageaient comme lui en direction du nord, mais vers d'autres destinations. À Siliguri, un jésuite de l'endroit affréta un taxi pour Darjiling, qui se trouvait 80 kilomètres plus loin et 2000 mètres plus haut. Avec les cinq jésuites à son bord, le taxi emprunta l'étroite route de montagne bordée de forêts et de plantations de thé jusqu'à Kurseong, située à 50 kilomètres de là et à une altitude de 1475 mètres. À cette époque, la ville comptait, malgré sa taille modeste, un nombre surprenant de grandes institutions d'éducation dont, entre autres, deux institutions jésuites : le séminaire St. Mary, sur les hauteurs dominant la ville, et l'école secondaire St. Alphonsus, au centre de l'agglomération. Le père Mackey descendit devant l'école St. Alphonsus et fit ses adieux à ses amis jésuites qui continuaient jusqu'à Darjiling.

Le premier poste du père Mackey se trouvait dans la paroisse St. Paul de Kurseong, où il devrait éventuellement remplacer le père Michel Wery, un jésuite belge qui dirigeait à la fois la paroisse et l'école St. Alphonsus. Le jour même de l'arrivée du père Mackey, le père Wery lui demanda d'entendre les confessions. «Mais, rétorqua le premier, c'est impossible. Je ne parle pas leur langue.» «Ça ne fait rien, répondit l'autre. Il vous faudra beaucoup de temps pour l'apprendre. En attendant, allez-y et donnez-leur l'absolution.» Le jésuite canadien appris rapidement l'expression en népalais signifiant : «Pour votre pénitence, dites trois *Je vous salue Marie*», puis il s'exécuta de bonne grâce et alla s'asseoir dans le confessionnal. Grâce au père Wery qui le mit tout de suite à servir ses paroissiens, le père Mackey serait le premier des missionnaires canadiens nouvellement arrivés dans le district de Darjiling à parler népalais.

Le père Mackey se familiarisa rapidement avec son nouveau milieu. Il fut très impressionné par le séminaire St. Mary qui possédait une remarquable bibliothèque sur la culture et la religion de l'Inde. Cette institution plus que centenaire serait plus tard déménagée à Delhi. Mais sa présence à Kurseong, où elle accueillait un grand nombre de jésuites, eut une profonde influence sur le district, surtout dans le développement des écoles. Quant à St. Alphonsus, qui avait commencé comme école primaire en 1890, elle était devenue en plus, à l'arrivée du père Mackey, une école secondaire avec un centre de formation industriel et un orphelinat. Celui-ci était devenu nécessaire car les enfants de parents catholiques, à la mort de ces derniers, n'étaient pas pris en charge par la famille ou par les gens de leur village à cause de leur religion. En tout, St. Alphonsus comptait environ 600 élèves, incluant 70 pensionnaires, 70 orphelins et 75 vétérans. Le budget de l'école était très serré, même si le gouvernement finançait une partie de la formation des anciens soldats de la Deuxième Guerre mondiale qui étaient inscrits à l'école.

L'école desservait une population pauvre, et les frais de scolarité demandés étaient donc modestes. Les salles de classe étaient petites, avec des murs blanchis à la chaux, des bancs fabriqués sur place et quelques images comme décoration. L'école offrait onze niveaux différents, de la maternelle jusqu'à la dixième année. Le premières classes étaient divisées en deux sections de trente élèves, alors que les classes plus avancées en comptaient généralement moins. Les trois principales matières enseignées étaient le népalais, l'anglais et les mathématiques. Au primaire, les sciences, l'histoire et la géographie faisaient partie de l'enseignement des langues, alors qu'au secondaire on enseignait ces matières séparément. Au cours primaire, la langue d'enseignement était le népalais alors qu'au cours secondaire, c'était l'anglais.

Le père Mackey logeait à l'étage supérieur du vieux bâtiment dans la partie de l'école réservée aux pensionnaires qu'il était chargé de surveiller. Il s'agissait d'une installation très rudimentaire, sans aucun confort. Le dortoir était une pièce dénudée, avec trois fenêtres, un toit de tôle et des tables qui servaient de lit. Il n'y avait même pas de matelas et à peine assez de couvertures pour tous les pensionnaires. Il n'y avait pas d'armoires pour ranger les quelques vêtements que possédaient les élèves, et on devait par conséquent les suspendre sur des cordes.

Comme enseignant, le père Mackey avait encore beaucoup à apprendre sur son nouveau milieu et ses nouveaux élèves. Par exemple, il était très fort en mathématiques, qu'il avait enseignées pendant trois ans au collège Jean-de-Brébeuf. Il abordait cette matière avec beaucoup d'enthousiasme durant les classes à St. Alphonsus. Mais, au bout de cinq mois, il se rendit compte que ses élèves ne faisaient aucun progrès. Il finit par comprendre que c'était parce qu'il leur enseignait comme à des Canadiens et non comme à des Népalais vivant en Inde. Il fallut donc d'abord assimiler la culture et le mode de vie de ses nouveaux élèves afin de pouvoir utiliser dans son enseignement des exemples qui leur étaient familiers. Une fois qu'il put parler leur «langage», la communication devint beaucoup plus simple entre lui et ses élèves.

En dehors de ses classes, le jésuite canadien fit aussi d'autres expériences intéressantes. Il avait apporté du Canada quelques bâtons et balles de baseball et il voulut enseigner ce sport à ses élèves. Les gens de Kurseong, toutefois, ne connaissaient pas du tout le baseball. Cela leur faisait penser un peu au cricket, introduit en Inde par les Britanniques, mais les deux sports étaient tout de même assez différents. Malgré tout, le père Mackey réussit à faire jouer ses ouailles au baseball, mais de nombreux problèmes surgissaient tout le temps. Par exemple, lorsque la balle tombait dans les broussailles qui bordaient la cour de l'école, les jeunes joueurs refusaient d'aller la chercher. «Pourquoi ne récupérez-vous pas la balle?» s'étonnait le père Mackey qui, découragé, décida d'y aller à leur place. Mais après avoir ramassé la balle, il comprit la raison des réticences de ses joueurs. Cet endroit était couvert d'orties appelées *sisnu;* en prenant la balle, la main du jésuite se frotta contre l'une d'elles et, piquée cruellement, elle se mit à enfler énormément. De plus, les apprentis joueurs de baseball apprenaient vite à frapper la balle très loin, et elle allait souvent se perdre dans les champs de thé de la plantation voisine. Bientôt, faute de balles, il fallut rayer ce nouveau sport du programme d'activités.

Une autre leçon qu'apprit le père Mackey des garçons dont il avait la charge concernait la question de l'égalité. Le dimanche matin, il remettait à chaque pensionnaire orphelin son allocation de la semaine. Celle-ci était très modeste bien sûr, c'est-à-dire quatre annas (un quart de roupie dans le système actuel) valant à l'époque environ sept cents canadiens. Mais, quelques minutes après la distribution, tout l'argent se trouvait entre les mains de trois garçons, et les autres n'avaient plus rien. Les jeunes qui récupéraient toutes les allocations étaient des prêteurs d'argent qui avaient avancé aux autres la somme qui leur manquait pour acheter de menues choses. Mais ils chargeaient un taux d'intérêt astronomique, et les emprunteurs étaient donc constamment endettés. Ces jeunes usuriers avaient découvert à un très jeune âge une pratique qui avait depuis toujours appauvrit encore plus les démunis. Le jésuite constata ainsi que ses élèves n'avaient pas tous autant de talent, en tous cas pas pour les affaires.

William Mackey s'occupa toute l'année 1947 à son travail à l'école St. Alphonsus et à la paroisse St. Paul. Cependant, il lui restait encore à compléter la dernière partie de sa formation de jésuite. Pour cela, il passa presque l'année 1948 en entier à Manresa House, à Ranchi dans l'État de Bihar. En compagnie du père Daly et du père Stanford, il y suivit sa dernière formation spirituelle intensive, qui comprenait une seconde retraite fermée très importante d'une durée de trente jours. Il devait se soumettre à une discipline très stricte et n'avait même pas, en principe, le droit de sortir. Pendant des mois, il fut donc complètement coupé du monde extérieur puisqu'il n'avait pas le droit non plus de lire des journaux ou des magazines.

En de rares occasions, toutefois, il lui fut possible de sortir. Durant son séjour à Ranchi, il se rendit trois fois à l'hôpital Holy Family pour donner du sang afin de venir en aide à trois malades, des pères jésuites âgés. Il lui fut permis aussi de s'absenter de Manresa House pour prêcher des retraites, par exemple aux séminaristes qui seraient bientôt ordonnés prêtres ou, à Darjiling, aux élèves du secondaire et du collège de North Point.

Entre-temps, le père Kevin Scott, qui remplaçait le père Mackey à Kurseong, éprouvait certains problèmes. Arrivé du Canada en décembre 1947, on l'avait envoyé travailler à l'école St. Alphonsus en l'absence du père Mackey. Il s'était installé dans la chambre de celui-ci, qui n'était en fait qu'une alcôve du corridor longeant le dortoir. L'endroit était infesté de punaises et de puces, mais le père Mackey ne s'en formalisait pas et s'y était habitué assez vite. Malheureusement, le père Scott ne pouvait s'adapter à la présence de ces parasites à cause de sa peau fragile. Son corps se couvrit de rougeurs persistantes, et il dut aller consulter un dermatologue à Calcutta. Devant la gravité de son état, le médecin lui ordonna de retourner au Canada après un séjour de deux mois seulement en Inde.

À son retour à Kurseong en novembre 1948, le père Mackey devint directeur de l'école St. Alphonsus et vicaire de la paroisse St. Paul. Il habita d'abord de nouveau à l'orphelinat mais, vers 1954, il déménagea avec le frère Robin, qui était venu du Canada avec lui en 1947, au «bungalow des chats» construit sur la colline derrière l'école. C'était une demeure confortable de huit pièces dotée de radiateurs à eau chaude et de grandes baignoires, qui avait appartenu à une vieille dame célibataire possédant plusieurs chats. Celle-ci était une amie et une admiratrice du père Wery, et elle lui avait fait don de son bungalow lorsqu'elle était retournée vivre en Angleterre.

Habitués à vivre à l'étroit, les deux jésuites disposaient alors de plus d'espace qu'ils n'en avaient besoin. Ils décidèrent donc de transformer un salon et un solarium du bungalow en dortoir pour accueillir de jeunes Bhoutanais venus étudier à St. Alphonsus. Auparavant, ceux-ci étaient logés à l'orphelinat ou chez des enseignants. Leur présence à Kurseong s'expliquait facilement. À l'époque, il n'y avait pas encore d'écoles secondaires au Bhoutan. Les bonnes familles bhoutanaises devaient donc envoyer leurs enfants terminer leur éducation à l'extérieur du pays. La plupart choisissaient l'Inde (surtout dans le district de Darjiling) pour deux raisons. Premièrement, Darjiling était près du Bhoutan et avait même fait partie de ce pays lorsque celui-ci occupait au XVIIIe siècle le Sikkim (qui incluait alors cette région), et le Bhoutan possédait une délégation officielle à Kalimpong, leur base en Inde. Deuxièmement, les élèves bhoutanais étudiant en Inde venaient du sud du pays et étaient pour la plupart d'origine népalaise. Leurs parents désiraient donc pour eux une éducation en népalais plutôt qu'en hindi ou en bengali, ce qui était possible dans la région de Darjiling. De plus, St. Alphonsus constituait un bon choix pour eux, puisqu'on y enseignait d'abord en népalais et plus tard en anglais, ce qui permettrait aux étudiants de s'inscrire ensuite à l'université en Angleterre.

En tant que directeur de St. Alphonsus, le père Mackey faisait face à des problèmes qui ne relevaient pas seulement de l'éducation. D'abord, environ quarante pour cent des garçons inscrits à l'école habitaient sur des plantations de thé. Certains mettaient jusqu'à trois heures le matin pour gravir la route jusqu'à l'école et deux heures le soir pour redescendre chez eux. De plus, pendant leurs longues heures à l'école (incluant cinq heures de marche), ils n'avaient rien à manger. Leurs parents n'avaient pas les moyens de leur donner un repas pour le milieu de la journée. Un docteur, de passage à l'école pour examiner les élèves, expliqua le problème au jésuite : «Ces enfants prennent un repas le matin, dit-il, et tout de suite après ils doivent marcher deux ou trois heures pour se rendre à l'école. Le soir, après une autre longue marche, ils mangent et, épuisés, se couchent presque tout de suite. C'est pourquoi ils souffrent tous de constipation.» L'école, qui ne disposait que de très peu d'argent, ne pouvait pas nourrir ces élèves. Heureusement, on ouvrit par la suite des écoles dans les plantations, et la santé de ces enfants s'améliora alors grandement.

De plus, le père Mackey découvrit les tensions qui existaient entre les Népalais et les Bengalis lorsqu'il fut invité à une assemblée publique peu de temps après sa nomination comme directeur de St. Alphonsus. Les résultats des élèves népalais aux récents examens avaient été très mauvais. Leurs parents croyaient que c'était la faute des autorités scolaires bengalies et demandèrent l'avis du jésuite à ce sujet, pensant qu'il confirmerait leur opinion. Cependant, le père leur répondit que, selon lui, c'était plutôt parce que les élèves népalais travaillaient moins que leurs camarades bengalis. Souvent, le père Mackey voyaient ses élèves népalais jouer dans la rue très tard le soir, alors que ses élèves bengalis restaient à la maison où leurs parents les aidaient à faire leurs devoirs. Les Népalais, mécontents, n'acceptèrent pas cette explication et trouvèrent plus simple de continuer à blâmer les Bengalis.

Certains pensionnaires de l'école causaient également des problèmes au père Mackey. La plupart des élèves de l'école secondaire provenaient de familles honnêtes mais pauvres. Ils mèneraient une vie productive après leurs études au collège et plusieurs d'entre eux resteraient amis avec leur ancien directeur. Toutefois, parmi les pensionnaires orphelins de l'école se trouvaient certains individus difficiles, et quelques-uns étaient même de véritables délinquants. Une ou deux fois par semaine, le père Wery ou le père Mackey devaient se rendre au poste de police pour se porter garant d'un ou de plusieurs d'entre eux qui avaient commis des délits et les faire libérer. Parfois, ces garçons passaient toute la nuit en prison. Les policiers connaissaient bien les jésuites et appréciaient leurs efforts qu'ils déployaient pour prévenir eux-mêmes la délinquance parmi leurs étudiants.

Cependant, les délinquants de St. Alphonsus n'étaient pas les seuls responsables de ces écarts de conduite. Ils découlaient aussi de ce que le père Mackey définissait comme la crise de croissance de Kurseong. En effet, on était en train de construire la voie ferrée vers l'Assam à cette époque, et plusieurs travailleurs de l'extérieur s'installèrent alors dans la région. Comme Kurseong était le centre administratif du chemin de fer, la ville devait s'adapter à l'afflux d'étrangers et à la recrudescence d'activités dans la région. Mais pour les jeunes délinquants, cela représentait plus d'occasions pour s'écarter du droit chemin. Pour les étudiants honnêtes et sérieux par contre, ce boom économique avait un effet positif puisque la compagnie de chemin de fer offrait des emplois à plusieurs diplômés de St. Alphonsus. Les autres finissants, quant à eux, opteraient pour une carrière dans l'enseignement.

Le 15 août 1949, dix-sept ans après son entrée chez les jésuites, William Mackey prononça enfin ses derniers voeux. Un an et demi plus tard, il devint supérieur jésuite du district, doyen du district de Darjiling, curé de la paroisse St. Paul, pasteur du Jesuit House et directeur de la mission. En fait, le père Mackey n'était pas un supérieur à part entière du district, puisque celui-ci était encore sous la double juridiction de l'archevêque de Calcutta et du Père Provincial jésuite de cette ville. Mais la direction des jésuites et les autorités religieuses reconnaissaient le besoin d'une spécialisation en népalais pour le district de Darjiling. Le père Mackey ne possédait pas autant d'expérience avec les Népalais que le père Wery, mais il était plus apte que ce dernier à assumer toutes ces responsabilités car il était plus jeune, en meilleure santé et mieux formé pour l'administration. Le père Wery et le frère Robin devinrent donc ses assistants et s'occupèrent surtout des tâches quotidiennes de la paroisse et du centre de formation industrielle. Le père Mackey concentra ses efforts à partir de ce moment sur l'école primaire et secondaire.

Sous l'influence du père Wery, l'horizon spirituel de William Mackey s'élargissait considérablement. Le prêtre belge se préoccupait plus d'aider de façon pratique les pauvres que de les amener à se convertir à sa religion. Et comme la majorité de ses élèves et de ses enseignants étaient de religion hindoue, le père Mackey en vint à considérer les hindous, les musulmans et les bouddhistes comme des enfants de Dieu au même titre que les chrétiens. Pour lui, ils avaient tout simplement une approche différente de la Réalité suprême. Il participait volontiers à leurs fêtes (il aimait spécialement la *Diwali,* célébrée avec des lumières), visitait les élèves malades à leur domicile et assistait aux cérémonies de crémation. L'attitude de coopération du jésuite s'étendait aussi aux activités sportives. Même s'il n'avait jamais joué au soccer et au hockey sur gazon, il encourageait avec un grand enthousiasme les équipes de son école, qui remportaient souvent les championnats du district de Darjiling. Il diversifia aussi le programme de gymnastique, et ses gymnastes donnèrent des spectacles très appréciés du public. William Mackey possédait également beaucoup de talent pour organiser des tournois regroupant plusieurs sports qui obtenaient beaucoup de succès.

Les réussites sportives des athlètes de St. Alphonsus attirèrent encore plus d'élèves à l'école. L'école devenait par ailleurs le véritable centre de la communauté de Kurseong. Elle s'agrandit et, dans les années 1950, on y comptait plus de 800 étudiants. Sa réputation sur le plan académique était excellente, et de plus en plus de parents de la région, au lieu de garder leurs enfants à la maison ou de les faire travailler, décidaient de les inscrire à St. Alphonsus.

Afin d'augmenter la qualité des cours et des démonstrations de gymnastique, le père Mackey cherchait à se procurer de l'équipement supplémentaire. Un jour, le major d'un régiment britannique qui se préparait à quitter l'Inde vint le voir pour lui demander une faveur. Durant leur séjour, ses soldats (des Irlandais catholiques pour la plupart) avaient eu des enfants avec des femmes de la région, et le major voulait que le jésuite prennent à l'orphelinat les garçons de ce groupe. Le père Mackey accepta, puis il demanda au major s'il pouvait acheter l'équipement de gymnastique du régiment. Le prix en était de cinq cents roupies, une somme importante que l'école St. Alphonsus ne pouvait se permettre. «Pouvez-vous attendre cinq ou six jours? demanda le jésuite.» «Bien sûr, mon père», répondit le major.

William Mackey se rendit à North Point demander de l'aide au père Maurice Stanford, le recteur du collège St. Joseph venu du Canada avec lui en 1947. Mais celui-ci, l'air très digne, lui annonça qu'il n'avait plus d'argent, surtout pour de l'équipement de gymnastique. Mais le père Mackey n'était pas prêt à abandonner son idée et il sortit de sa soutane une photo qu'il montra au père Stanford. Celle-ci montrait ce dernier vêtu seulement d'un short seulement pendant la traversée sur le *Strathmore*. Son allure manquait nettement de dignité. «Tu vois ça, Mo? dit le père Mackey. Tu me donnes 500 roupies ou je la montre à tes élèves.» Le père Stanford n'avait pas le choix; jamais il ne pourrait conserver sa dignité au collège si cette photo se mettait à circuler parmi les enseignants et les élèves. Il se leva et sortit de la pièce. Il revint quelques instants plus tard et remit la somme demandée à son confrère, qui lui donna la photo. Avant de partir, le père Mackey le remercia et ajouta : «Eh, Mo, je reviendrai. J'ai encore le négatif!»

Quand le père Mackey et ses compagnons quittèrent le Canada en 1946, ils ne pensaient pas à un retour éventuel au pays. Et cinq ans plus tard, aucun des cinq missionnaires n'était encore retourné chez lui pour une visite. À ce moment-là, quelqu'un suggéra au père Mackey que, vu sa position de supérieur, il devrait visiter sa province natale afin de discuter des affaires missionnaires. Le jésuite décida de partir pour Montréal, où il pourrait revoir sa famille tout en recueillant de l'argent et en recrutant des volontaires pour les missions des jésuites. Il partit à la fin de 1951 afin d'arriver au Canada pour Noël.

Même en effectuant la plus grande partie du voyage en avion, il faudrait à William Mackey presque une semaine pour se rendre au Canada. Il prit d'abord le train pour Calcutta, où il monta à bord d'un avion de la BOAC à destination de Londres. Les avions à moteurs à hélice du temps ne pouvaient faire le vol Calcutta-Londres sans escale et devaient s'arrêter plusieurs fois. C'était la même chose pour le vol transatlantique de Londres à Montréal, qui fit sa première escale à Shannon en Irlande où il resta bloqué quelque temps la veille de Noël à cause d'une tempête au-dessus de l'Atlantique. Finalement, l'avion arriva à Gander (Terre-Neuve) à deux heures du matin et le père Mackey décida d'y célébrer la messe du jour de Noël, malgré la désapprobation du vieux prêtre qui l'accompagnait.

William Mackey arriva à Montréal le matin de Noël et il passa la journée avec son père et ses deux soeurs. Il visita par la suite son frère aîné Jim, qui habitait maintenant à London (Ontario) avec sa femme et ses deux enfants. Jim était d'abord entré chez les jésuites un an après son frère Bill, mais il avait quitté l'ordre avant son ordination. Le père Mackey pris ensuite contact avec les famille des jésuites canadiens restés en Inde, car il devait leur remettre des messages enregistrés par chacun d'eux. Durant sa visite de quatre mois au Canada, même s'il visita sa famille et ses amis et assista à une partie de hockey au Forum de Montréal, William Mackey passa la majeure partie de son temps à voyager et à parler des oeuvres missionnaires en Inde.

Un jour, il devait prendre la parole à un séminaire jésuite de Toronto. Le père West, le directeur des missions, annonça à l'auditoire qu'il allait d'abord montrer et commenter un film que le père Mackey avait envoyé de l'Inde quelque temps auparavant. Il s'agissait d'un film muet tourné lors d'une visite à l'école du village de Mani Bhanjan près de la frontière entre le Bengale-Occidental et le Népal. On y voyait le déroulement d'un tournoi sportif et les nombreuses personnes venues y assister. Mais les explications du père West au sujet du film étaient complètement farfelues. Par exemple, il désigna le lama tibétain qui accompagnait le directeur comme étant la «femme» de ce dernier. Après quelques minutes, le père Mackey l'interrompit : «Pouvez-vous arrêter le film? On va reprendre du début et, cette fois, c'est moi qui vais commenter.» Après que le père West eut entendu les explications justes sur le film, il s'exclama : «Mon Dieu, j'ai induit beaucoup de gens en erreur!»

Le père Mackey attirait l'attention et l'intérêt des fidèles partout au Canada où il prononça des conférences et des sermons. Une fois, alors qu'il bavardait avec des paroissiens après un sermon, l'un d'eux vint lui parler. Après une conversation sur l'oeuvre missionnaire des jésuites en Inde, l'homme annonça au père qu'il venait de vendre un terrain. «Mais, vous savez, mon père, dit-il, je n'ai pas vraiment besoin de cet argent.» Et il écrivit sur-le-champ un chèque de cinq mille dollars qu'il remit au jésuite.

Même si le total des donations qu'il avait reçues au Canada était assez importante, le père Mackey n'avait pas d'argent à son retour à Kurseong, où il fut confronté à un problème financier d'un autre type. Il était habitué au manque chronique d'argent à St. Alphonsus, et il fallait un combat de tous les jours pour maintenir l'école à flot. Avec l'argent ramassé au Canada, William Mackey avait acheté de l'équipement pour l'atelier du centre de formation industrielle, des livres pour la bibliothèque et des fournitures de science et de sport pour l'école. Le budget scolaire ne prévoyait rien pour ces achats, et de telles dépenses devaient donc être effectuées grâce à des fonds spéciaux.

Par contre, le père Mackey comptait également pour renflouer le budget de St. Alphonsus sur l'argent du fonds des Messes, qui relevait de la paroisse. Cet argent provenait des fidèles, surtout au Canada, qui voulaient faire célébrer des messes pour des défunts, des malades ou des faveurs obtenues. Au début des années 1950, chaque messe coûtait un ou deux dollars, une somme non négligeable pour une paroisse pauvre en Inde. Le curé de chaque paroisse devait administrer ce fonds scrupuleusement et s'assurer que toutes les messes payées étaient bien célébrées. Cependant, lorsque le père Mackey revint du Canada, il constata qu'il n'y avait plus d'argent dans le fonds des Messes. Le père Wery et le frère Robin avaient tout dépensé, mais ils avaient oublié de faire célébrer les messes. Les pères Mackey et Wery tentèrent alors de dire les messes promises, mais il y en avait un tel nombre que les deux prêtres ne suffisaient pas à la tâche. La compagnie de Jésus confia alors la célébration des messes à plusieurs autres prêtres de paroisses du district de Darjiling.

Plusieurs jésuites haut placés n'apprécièrent pas du tout cette histoire de messes non dites, spécialement les supérieurs immédiats du père Mackey. Même si celui-ci leur expliqua que l'argent n'avait pas été utilisé pour ses besoins personnels mais plutôt pour ceux de l'école et de l'orphelinat, ses supérieurs lui répondirent qu'il aurait dû agir avec plus de discernement et ne pas laisser l'argent au père Wery et au frère Robin. Il fut donc décidé de démettre le père Mackey de ses fonctions de supérieur. Celui-ci ne perdit pas pour autant son sens de l'humour ni sa bonne humeur. «Dieu soit béni, dit-il, on devrait recommencer ce manège pour se renflouer. En fait, les cinquante messes qu'on a dites valent ainsi près de 100 dollars chacune...»

Le père Wery mourut d'une crise cardiaque en 1957, et ses funérailles furent les plus importantes jamais célébrées à Kurseong. La foule qui suivit le cercueil était «comme une rivière en crue durant la mousson», se rappela un ami du père Wery. Moins de deux ans après ce triste événement, le père Mackey fut nommé directeur de l'école secondaire St. Robert à Darjiling. Il y prit la place du père Prendergast, qui le remplacerait à St. Alphonsus. Un tel échange de directeurs était courant et entraînait des changements positifs tant chez les personnes visées que dans les institutions. On ne révélerait que plus tard au père

Mackey la vraie raison de son transfert : certains Bengalis avaient accusé le jésuite d'avoir un parti pris contre eux.

À St. Robert, le père Mackey hérita d'une école secondaire bien dirigée, dotée de tout l'équipement nécessaire et financièrement solide. Selon le père Mackey, tout le mérite en revenait au père Prendergast. Celui-ci avait réuni à St. Robert une équipe d'enseignants qualifiés et responsables, qui étaient presque tous des anciens étudiants. L'école était installée dans un établissement célèbre, l'ancien Park Hotel, acheté par l'archevêque en 1934. Elle comptait environ 550 élèves, le même nombre que la division secondaire de St. Alphonsus. Parmi eux, on dénombrait une quarantaine de pensionnaires qui logeaient à Bellarmine Hall, fondé par le père Prendergast et nommé en l'honneur du jésuite italien saint Robert Bellarmin. La plus importante contribution du père Mackey à l'école fut l'ajout d'un laboratoire de sciences, financé par des fonds recueillis au Canada et de l'argent reçu de l'archevêché de Calcutta.

Darjiling offrait plus de possibilités d'activités et d'échanges avec d'autres écoles que Kurseong. À part l'organisation d'activités communautaires (concerts de musique, expositions scientifiques, etc.), le père Mackey s'occupaient aussi toujours des sports. St. Robert possédait déjà un bon programme sportif, mais le nouveau directeur l'améliora encore. Il s'assura que les équipes de St. Robert étaient d'un assez bon calibre pour accéder à toutes les finales sportives du district. Mais, parce que St. Robert était une école pour les pauvres, les écoles de riches traitaient souvent ses élèves avec mépris, comme le prouva un incident lors d'une pratique pour un jamboree de scouts qui se déroula à la chic école secondaire anglicane St. Paul. Au moment d'une pause, on offrit du thé au père Mackey mais pas à ses élèves. Celui-ci, furieux de cette impolitesse, refusa d'en prendre et amena plutôt ses scouts au bazar pour manger des *momos,* des pâtés tibétains fourrés à la viande. Malgré ces rebuffades, les scouts de St. Robert sous la direction du père Mackey remportèrent trois années de suite le *Jackson Shield*, remis aux vainqueurs d'une compétition réunissant toutes les troupes du district de Darjiling.

Pendant le séjour du père Mackey en Inde, sa soeur Tess lui servit d'intermédiaire entre lui et le reste de sa famille. Il lui écrivait régulièrement, et elle recopiait ses lettres pour les envoyer à tous les membres de la famille. C'était elle aussi qui lui rendait de petits services au Canada et qui lui expédiait tout ce dont le «père Bill» avait besoin. En octobre 1959, Tess Mackey se rendit en Inde pour voir son frère. Vive et intelligente, elle mit à profit ce voyage pour visiter la région de Darjiling et pour faire la connaissance des amis et des collègues du père Mackey. Ceux-ci la reçurent de leur mieux, contribuant ainsi au succès de la visite.

Une autre femme rendit aussi visite au père Mackey à St. Robert. Il s'agissait d'une Népalaise de Kurseong nommée Narbada, qui lui avait déjà écrit pour lui déclarer son amour quand il travaillait à St. Alphonsus. Selon elle, «chaque fois qu'elle voyait le père Mackey, cela lui donnait de mauvaises pensées.» Cette jolie jeune femme était mariée à un soldat qui avait été un élève du père Mackey. Le couple habitait alors à Dowhill. Comme le mari était souvent absent, sa femme se sentait esseulée et déprimée. Son mari la croyait même un peu déséquilibrée. Après avoir reçu la lettre de Narbada, le père Mackey évita tout contact avec la jeune femme et refusa de parler de ses sentiments envers lui, qui devinrent l'objet de plaisanteries de la part des autres jésuites.

Sept ans plus tard, Narbada se présenta à St. Robert durant la fête de l'école. Elle rencontra le père Murray Abraham, qui ressemblait un peu à William Mackey avec sa peau claire, ses cheveux roux et ses lunettes. Il connaissait l'histoire de Narbada et il s'empressa de la détromper en lui disant : «Je ne suis pas le père Mackey, il est en bas!» Le mois de janvier suivant, on sonna à la porte de Bishop House où le père Mackey était seul, en train d'écrire un sermon. Très surpris et incapable d'affronter cette situation délicate, il referma la porte brutalement en criant *Hunde na!»* Il ne reverrait plus jamais Narbada.

À St. Robert, les élèves bhoutanais constituaient environ quatre-vingts pour cent des pensionnaires. La personne la plus importante pour eux, tout comme pour le père Mackey plus tard, était le premier ministre du Bhoutan, Jigmie Dorji. Celui-ci s'intéressait de près au bien-être et aux progrès scolaires de tous les Bhoutanais qui étudiaient dans la région de Darjiling, tant à St. Alphonsus, qu'à St. Robert et à St. Joseph (où se trouvaient ses deux jeunes frères Ugyen et Lhendup et son fils Paljor). Quand il était de passage en ville, il visitait les écoles et, pour récompenser les efforts de ses protégés, il les emmenait dîner au restaurant Glenary's ou prendre le thé.

Ugyen Dorji, le frère du premier ministre bhoutanais, avait été reconnu dès son jeune âge comme un lama réincarné et il avait donc reçu le titre honorifique de «Rinpoche» (ou «Rimpoche»), plus tard abrégé en Rimp. D'abord envoyé dans un monastère pour recevoir l'éducation religieuse nécessaire à un lama important, il avait ensuite décidé qu'une telle vie ne lui convenait pas. Il poursuivait donc ses études à Darjiling. Plus tard, il deviendrait l'homme d'affaires le plus riche de son pays. Le père Mackey fit la connaissance de Paljor Dorji et de son oncle Lhendup, surnommé Lumpy, quand on lui demanda d'être entraîneur d'une équipe de gymnastique à North Point. Lhendup était un excellent athlète et un garçon courageux qui avait la réputation d'être très dégourdi. Une fois devenu adulte, son style et son charisme le feraient connaître au-delà des frontières du Bhoutan, et Shirley MacLaine parlerait de lui dans son livre *Amour et lumière*.

Les problèmes du père Mackey avec les autorités bengalis se poursuivirent après son transfert à Darjiling. Il était très populaire dans la communauté bengali, mais il suffit de quelques mécontents (unis à ses ennemis de Kurseong) parmi celle-ci pour continuer à miner la réputation du jésuite. Pourtant, même si William Mackey était quelque peu favorable aux Népalais, il n'était certainement pas l'ennemi des Bengalis. Toutefois, certaines de ses opinions lui attirèrent plusieurs ennuis. Par exemple, les élèves qui fréquentaient les écoles du Bengale-Occidental suivaient des cours dans cinq langues : le népalais (la langue maternelle de la majorité), le bengali (la langue du Bengale-Occidental), l'hindi (la langue nationale), le sanskrit (la langue classique) et l'anglais. Du point de vue pédagogique, cette approche n'était pas très efficace et générait beaucoup de confusion. Le père Mackey prônait publiquement un enseignement tout au plus en trois langues : le népalais, l'anglais et l'hindi. La plupart des directeurs d'école, qui étaient de farouches Bengalis, accusèrent alors le jésuite d'avoir un parti pris contre les Bengalis parce qu'il voulait exclure leur langue du programme.

William Mackey se fit aussi un autre ennemi du directeur de l'éducation physique (DOPE) de Darjiling. Celui-ci, en charge de l'organisation des activités sportives, n'avait pourtant organisé aucune manifestation depuis deux ans. Le père Mackey, toujours grandement intéressé par les sports, prit en charge à son arrivée à St. Robert les ligues interscolaires de volley-ball et de soccer ainsi que les tournois sportifs. Lors de la première journée de sports qu'il organisa, il reçut comme invité d'honneur l'inspecteur en chef des écoles, accompagné d'un cadre important de la Commission scolaire du Bengale-Occidental. Ce dernier se montra étonné que le DOPE ne fût pas impliqué dans l'organisation des événements. Il fit enquête à ce sujet. Le DOPE se défendit alors en accusant le père Mackey d'ingérence dans son domaine de juridiction. Cette interprétation des faits fut acceptée sans aucune preuve, et une autre marque négative fut inscrite au dossier du jésuite.

Les ennemis de William Mackey ne manquaient pas de subtilité dans leurs attaques, comme avec les problèmes soulevés au sujet de sa compétence en tant qu'enseignant. Le gouvernement du Bengale-Occidental offrait alors un programme de deux ans pour compléter la formation des enseignants moins qualifiés et leur décerner un baccalauréat en éducation. Cependant, jusqu'à l'arrivée du père Mackey à St. Robert, les qualifications des jésuites canadiens qui enseignaient dans la province n'avaient jamais été remises en question, car ils étaient tous des diplômés d'études supérieures. Mais quand le nouveau directeur de St. Robert décida d'ajouter au cours secondaire St.Robert la onzième année, les fonctionnaires du gouvernement l'obligèrent à suivre les cours du Baccalauréat en éducation dans une institution accréditée. Le jésuite s'inscrivit donc au programme trois mois avant l'examen final, tout en continuant son travail à plein temps à St. Robert. Pendant sa formation, William Mackey se fit quelques autres ennemis en contestant la compétence de certains professeurs et en vexant certains inspecteurs bengalis par son utilisation de mots népalais durant les stages pratiques d'enseignement.

Le coup fatal à la réputation du père Mackey auprès des autorités du Bengale-Occidental fut porté à la fin de 1962. Cette année-là, son évêque lui demanda de participer avec ses élèves à une manifestation en faveur des droits linguistiques des Népalais vivant au Bengale-Occidental. Celle-ci se déroula la veille d'un congé décrété par le directeur de St. Robert pour célébrer la victoire des trois équipes de volley-ball de son école lors d'un tournoi sportif. Juste au moment où William Mackey incitait ses élèves au calme et à l'ordre avant le début de la manifestation, un photographe de la police prit une photo du jésuite parmi les manifestants.

Plus tôt la même année, les troupes chinoises avaient envahi et occupé la région du nord-est de l'Inde, entraînant ainsi un conflit armé entre les deux pays. La situation était donc très tendue dans toute la région bordant la zone disputée, et le gouvernement décréta une loi spéciale pour le district de Darjiling. Celle-ci permettait aux autorités (surtout l'armée et la police) d'intervenir comme bon leur semblait pour assurer la sécurité. La manifestation en faveur des Népalais, à laquelle avaient participé le père Mackey et ses élèves, était considérée par les dirigeants bengalis comme de l'agitation politique.

Le supérieur jésuite, le père Jim McCabe, s'était alors absenté pour faire une visite de quelques mois au Canada. À son retour au printemps 1963, il téléphona au père Mackey pour lui apprendre que la police lui avait ordonné de le transférer dans un autre district. Quand l'ordre des jésuites tenta de faire renverser cette décision, les policiers exhibèrent la photo prise lors de la manifestation montrant, selon eux, William Mackey en train «de haranguer, d'exciter et d'inciter les étudiants contre les Bengalis». Ils refusèrent d'écouter les explications du père Mackey qui cherchait à établir la vérité sur l'incident. De plus, on l'accusa «d'avoir fermé son école le lendemain de la manifestation linguistique pour protester contre le gouvernement». Encore une fois, les accusateurs du jésuite ignorèrent ses explications quant à la vraie raison du congé, car ils étaient bien décidés à se débarrasser de William Mackey qu'ils considéraient comme un fomentateur de troubles.

Les jésuites, l'évêque, plusieurs citoyens de Darjiling et même une députée, Mme Chhetri, intervinrent pour faire annuler le transfert du père Mackey, mais en vain. Les mesures imposées par la loi spéciale en vigueur à l'époque limitaient beaucoup la marge de manoeuvre des défenseurs du jésuite. En ces temps où la sécurité du pays était menacée, les assemblées publiques étaient suspectes et tous se rendaient bien compte qu'il valait mieux ne pas contester ouvertement le gouvernement. Le père Mackey devait donc accepter de quitter Darjiling. Avant son départ, plusieurs fêtes d'adieu organisées en son honneur démontrèrent la popularité du jésuite parmi ses collègues et la population. De plus, William Mackey ne fut pas le seul à être expulsé du district de Darjiling. Plusieurs autres partiraient aussi pour différentes raisons. Tous ceux qui étaient sur la «liste noire» des autorités bengalis avaient peu de chance de faire renverser un ordre d'expulsion. Ainsi, des Chinois de la ville de Darjiling, qui étaient citoyens indiens, furent arrêtés au milieu de la nuit et exilés.

Le père Mackey avait passé plus de seize ans dans la région de Darjiling, où sa contribution avait été marquante comme enseignant, directeur de deux collèges et organisateur d'activités sportives. Il avait appris à connaître ses habitants et à parler leur langue, et ceux-ci l'avaient accepté comme un des leurs. Le départ de Darjiling en juin 1963 n'était donc pas facile pour William Mackey. «C'est la chose la plus difficile que j'aie eu à faire de ma vie que de laisser tout cela derrière moi, dirait-il plus tard. Ce n'est que grâce à ma formation spirituelle que j'ai pu arriver à l'accepter.» En attendant d'être assigné à un nouveau poste, le jésuite s'exila à Jamshedpur dans l'État du Bihar, où il séjournerait pendant quelques mois et travaillerait comme secrétaire de l'évêque Picachy.

Chapitre 3

EN 1963, LES DIRIGEANTS DU BHOUTAN SE LANCÈRENT DANS UNE ENTREPRISE majeure de modernisation en décidant de créer la première école secondaire de leur pays. Jusqu'à ce moment, quoique des écoles monastiques existaient au Bhoutan depuis des siècles, le système d'éducation laïc bhoutanais ne comprenait que des écoles primaires (une vingtaine en 1963). Les élèves bhoutanais qualifiés qui étaient assez riches, ou recevaient une bourse du gouvernement, et qui désiraient continuer leur éducation devaient alors quitter le pays pour poursuivre leurs études. La plupart s'inscrivaient à des collèges du district de Darjiling, gérés par des jésuites renommés pour la qualité de leur enseignement.

Les Bhoutanais voulaient établir un réseau d'écoles secondaires de première classe et confier à un jésuite la charge de créer et de diriger la première de celles-ci. Quand Jigmie Dorji, le premier ministre du Bhoutan, prit contact avec le père supérieur jésuite Jim McCabe en 1963, il tombait à point. Un des meilleurs éducateurs jésuites de la région, le père Mackey (alors âgé de quarante-sept ans), était alors sur le point d'être expulsé du district de Darjiling. Le chef du gouvernement bhoutanais, qui avait déjà rencontré William Mackey et connaissait l'excellence de son travail, l'invita donc à se rendre au Bhoutan pour y ouvrir la première école secondaire du pays. Grâce à ses élèves bhoutanais de Kurseong et de Darjiling, le prêtre catholique connaissait déjà la culture et l'histoire du Bhoutan, qu'il admirait beaucoup et qui l'intéressait énormément. L'offre de Jigmie Dorji constituait une véritable consolation et une voie d'avenir pour lui après son expulsion de Darjiling. Il accepta la proposition avec joie.

Pour se rendre à son nouveau poste, toutefois, le père Mackey devrait surmonter un premier obstacle : la lourde bureaucratie indienne. À cette époque, le Bhoutan, même s'il était un pays indépendant, devait encore se plier aux conditions des ententes conclues avec l'Inde, son gigantesque voisin et protecteur qui l'avait longtemps encadré. Par exemple, l'Inde possédait encore un droit de regard sur les relations internationales du Bhoutan, y compris le contrôle de l'entrée des étrangers dans le royaume himalayen. Les autorités indiennes exigeaient alors des permis spécifiques pour traverser les régions de leur pays qui bordaient le Bhoutan au sud. Comme le jésuite venait d'être expulsé de Darjiling, il lui fallut beaucoup de temps et d'efforts pour obtenir son permis de voyager à travers le Bengale-Occidental, même si la demande fut faite par le premier ministre du Bhoutan. Finalement, le 14 octobre, après avoir travaillé dans l'intervalle avec l'évêque Picachy à Jamshedpur et mère Teresa à Calcutta, William Mackey reçut enfin son permis de transit.

Le second obstacle auquel se confronta le père Mackey fut la difficulté du voyage lui-même, puisqu'il n'y avait pratiquement pas encore de vraie route au Bhoutan. De Calcutta, où il avait reçu son permis, il se rendit d'abord à Darjiling pour rencontrer le père supérieur McCabe, qui l'accompagnerait jusqu'au Bhoutan. À l'aube du 17 octobre, les deux jésuites montèrent à bord de la jeep du gouvernement bhoutanais dans laquelle ils allaient voyager. Après douze heures de trajet, ils arrivèrent enfin à Phuntsholing, situé dans le sud du Bhoutan de l'autre côté de la frontière avec le Bengale-Occidental.

La ville de Phuntsholing deviendrait par la suite le centre financier et commercial du Bhoutan, mais au début des années 60 elle n'était encore constituée que de quelques magasins et bureaux gouvernementaux. C'était là qu'on trouvait les marchandises provenant de l'Inde (essence, denrées non périssables, outils, matériaux de construction, objets domestiques, etc.), qu'on utilisait pour la construction de la route qui traverserait le Bhoutan. Dans cette partie du monde, où la technologie occidentale n'était pas facilement disponible à l'époque, prévalait en effet la technique indienne de construction de routes. Il s'agissait d'une méthode assez primaire. On utilisait de la dynamite, parfois un bulldozer et, surtout, un très grand nombre de travailleurs manuels. Ce procédé n'était pas inconnu du père Mackey mais à mesure qu'il progressait vers le nord, il se rendait compte des difficultés énormes que signifiait la construction d'une première route dans un pays au relief montagneux aussi accidenté que le Bhoutan.

À la sortie de Phuntsholing, les jésuites constatèrent que la route commençait tout de suite à grimper et à serpenter dans la forêt.

Après vingt kilomètres environ, leur jeep dut traverser sous la pluie une pente abrupte presque entièrement dénudée, un endroit dangereux où il y avait souvent des chutes de pierres et des glissements de boue. Le véhicule avançait lentement sur la surface glissante de cette section de la route et dut même s'arrêter quelque temps pendant que des travailleurs déblayaient un petit éboulement obstruant la route. Mais quelques kilomètres plus loin, ils rencontrèrent un autre obstacle beaucoup plus grave : un glissement de pierres et de boue avait entraîné une partie de la route dans le ravin. Heureusement, les voyageurs apprirent bientôt qu'il y avait une autre jeep gouvernementale bloquée à trois kilomètres de là, de l'autre côté de l'éboulement. Ce serait pour le père Mackey l'occasion de faire sa première expérience de «transbordement». Les passagers et les bagages seraient transférés d'une jeep à l'autre, et chaque groupe reprendrait la route avec un nouveau chauffeur et un nouveau véhicule.

Quelques heures plus tard, près du village de Gedu (situé à une altitude de 2257 mètres), les jésuites durent procéder à un autre «transbordement». Finalement après une longue journée de voyage, ils arrivèrent à Chhatselhakha où ils furent hébergés pour la nuit dans une auberge réservée à la famille royale et aux hauts fonctionnaires. Le lendemain, ils reprirent la route qui serpentait à plus de deux mille mètres d'altitude à travers la forêt luxuriante du versant ouest de la vallée. De leur véhicule, les voyageurs avaient une vue imprenable sur le magnifique panorama devant eux. Ils continuèrent leur périple vers le nord en descendant graduellement vers la rivière Wang Chu, qu'ils traversèrent sur un pont de bois, pour gravir ensuite le versant est. Le chemin était difficile, car il avait été taillé dans le roc à force de dynamite, de bulldozers et de dur labeur manuel et il s'élevait jusqu'à trois mille mètres. Finalement, la jeep arriva à un endroit appelé Chuzom (ou Confluence) où la Pa chu (*chu* signifie rivière) dans la vallée de Paro rejoint la Wang chu. Cette dernière passe par Thimphu et les jésuites la suivaient plus ou moins depuis Gedu.

Les jésuites traversèrent la Wang chu sur un pont Bailey, ressemblant à une construction faite avec un jeu de Meccano, et cheminèrent ensuite vers l'ouest le long de la vallée de la rivière Pa chu, en direction de la ville de Paro. La température était très agréable, et les pères atteignirent vers dix-sept heures Paro, où ils dînèrent le soir même avec le premier ministre du Bhoutan. Ils étaient les invités de la famille Dorji, qui possédaient plusieurs propriétés à cet endroit.

Le lendemain, après une rencontre avec le premier ministre et des hauts fonctionnaires responsables de l'éducation, les pères McCabe et Mackey visitèrent Paro, devenue depuis peu un centre administratif du pays. En 1952 et en 1953, quand les dirigeants bhoutanais commencèrent à moderniser le pays, ils déplacèrent le siège du gouvernement central de Punakha à Tashichoedzong (nom signifiant «forteresse de la religion de bon augure»), le grand dzong de Thimphu, la ville qui est encore de nos jours la capitale du Bhoutan.

Toutefois, lorsque les activités de développement débutèrent aux débuts des années soixante, les dirigeaunt bhoutanais se rendirent vite compte que Thimphu ne disposait pas des ressources nécessaires pour en être le centre. De plus, ils jugèrent que ces activités surtout séculaires et impliquant des étrangers devaient être tenues loin du centre du gouvernement et, surtout, de la résidence d'été de l'ordre des moines bouddhistes, qui est un endroit sacré. Ils choisirent alors Paro comme centre administratif du développement projeté pour leur pays. L'endroit, avec son altitude moins élevée, son climat plus doux et la disposition de ses édifices, se prêtait mieux aux besoins d'une telle entreprise. À l'époque, en plus du site historique de Rinpung Dzong, la ville comptait déjà des bureaux administratifs pour l'éducation, la santé et la construction des routes. De plus, on y trouvait une petite école primaire qui dispensait un enseignement en anglais. Il y avait aussi quelques boutiques qui vendaient des objets de première nécessité en provenance de l'Inde. Paro était alors l'une des rares villes du Bhoutan dotée d'un centre avec des magasins.

Le lendemain, les deux jésuites se rendirent à Thimphu, un trajet de plus de trois heures sur une route poussiéreuse. La ville ne ressemblait pas beaucoup à une capitale nationale et offrait peu de points d'intérêt. L'ancien Tashichoedzong avait été partiellement démoli et on était en train d'édifier un nouveau dzong qui réunirait des parties de l'ancien temple à d'autres nouvellement construites. Cet édifice impressionna grandement William Mackey. Faisant de trois à cinq étages de hauteur, il était bâti suivant des méthodes médiévales dans un style bhoutanais traditionnel, avec des poutres de bois et des pierres. De l'autre côté de la rivière Wang Chu, en amont du dzong, se trouvaient un petit hôpital et une école primaire logés dans un bâtiment en forme de «U».

Le dernier arrêt du périple des jésuites fut à Dechenchoeling. Situé à quelques kilomètres en amont de Thimphu, c'est à cet endroit que l'on retrouve le palais royal. Le roi était présent au palais lors de la visite des prêtres canadiens, mais comme il n'était pas encore remis de la crise cardiaque qu'il avait subie quelque temps auparavant, il ne put les recevoir. Les jésuites admirèrent le palais de la rue, puis rebroussèrent chemin vers Paro qu'ils atteignirent vers six heures le même soir.

La visite se termina le lendemain, et le père Mackey avait obtenu son mandat de base. Les Bhoutanais désiraient une école secondaire comparable à ce qu'il y avait de mieux à Darjiling. Elle serait construite au Bhoutan oriental, à un endroit qui n'avait cependant pas encore été déterminé avec précision. Le père Mackey connaissait très peu la géographie du Bhoutan à cette époque, et beaucoup moins encore sa démographie et sa culture. Mais il irait où on daignerait bien l'envoyer pour effectuer sa tâche. Il s'agissait après tout de l'aboutissement normal auquel l'avait préparé toute sa formation.

Le Bhoutan maintenait des relations très discrètes avec le monde extérieur. De la fin du XIXᵉ siècle jusqu'en 1964, ses relations avec l'Inde, son voisin, étaient entre les mains d'un très haut fonctionnaire du gouvernement et ami sûr de la famille royale. Ce fonctionnaire se devait de maintenir une présence importante à la Maison du Bhoutan, la quasi-ambassade située à Kalimpong. Jigmie Dorji occupa ce poste à partir de 1952, lui qui occupait déjà la fonction de *loenchen* (premier ministre).

Durant les dix-sept années qu'il avait passées à Darjiling, le père Mackey n'avait jamais eu la chance d'être présenté au roi du Bhoutan. Par contre, il avait très bien connu toute la famille Dorji. En plus des garçons qui se trouvaient à l'école, il avait fait la connaissance de Ashi Tashi, la sœur du premier ministre, qui visitait fréquemment le couvent de Loreto et le collège St. Joseph. (Ashi est un titre honorifique équivalant approximativement à celui de «princesse») Quand le père Mackey arriva à Paro, c'est elle qui prit la décision de construire la nouvelle école secondaire au Bhoutan oriental. Elle connaissait bien cette région pour avoir passé dix années à Tashigang alors qu'elle aidait à l'administration du district. Il s'agissait d'une région fortement peuplée (pour le Bhoutan) et relativement pauvre. Comme le développement économique s'était concentré jusqu'alors dans l'ouest du pays, Ashi Tashi dit au Père Mackey qu'il était temps de construire quelque chose de significatif dans l'est. Certains prétendirent toutefois que, parce qu'il s'agissait d'une entreprise fort risquée, on avait choisi le Bhoutan oriental pour attirer moins l'attention.

Parce qu'aucune route ne traversait la campagne, et que les montagnes et les rivières s'étalaient dans un axe nord-sud, le Bhoutan oriental constituait une région beaucoup plus isolée que ne le laissaient voir les cartes. Les voyageurs entre l'Est et l'Ouest passaient en général par l'Inde. C'est l'itinéraire que suivit le père Mackey lorsqu'il quitta Paro pour Tashigang.

Le père Mackey avait déjà passé de nombreuses années dans les montagnes. Néanmoins, il trouvait le paysage du Bhoutan extraordinaire. Tout y était plus dur, plus vierge, et l'aspect montagneux en lui-même était plus impressionnant que tout ce qu'il avait vu auparavant. Alors qu'il traversait les plaines chaudes et humides de l'Assam en Inde, il fut également émerveillé par la diversité du climat et de la végétation qui pouvaient changer à chaque tournant de la route.

La vallée de Tashigang est une région chaude et sèche. Située à 1 200 mètres d'altitude, il s'agit du centre urbain le moins élevé du Bhoutan. Bien qu'elle soit aussi touchée par la mousson, Tashigang est un des endroits les plus arides du pays à cause des montagnes qui l'encerclent, de l'inclinaison du terrain, du type de sol et de la déforestation. Toutefois, à l'arrivée du père Mackey au mois d'octobre, peu après la mousson, la température y était agréable et les collines de la vallée étaient recouvertes de végétation.

De nos jours, Tashigang est une ville grouillante d'activité et, malgré sa taille relativement importante, elle ne fait pas face à des problèmes de surpopulation. En 1963 cependant, à l'arrivée du père Mackey, l'endroit était très différent. Même s'il on y retrouvait le dzong et quelques autres institutions gouvernementales, ce qui en faisait un endroit important, Tashigang était tout juste ce que l'on peut appeler une ville. Quant au dzong lui-même, le Père Mackey l'appelait le «fort-monastère».

Tashigang signifie «la montagne de bon augure». Construit en 1656, le dzong est installé sur un éperon de la montagne, dominant la rivière et la vallée 300 mètres plus bas. Au niveau de l'entrée principale, la structure n'a que trois étages de hauteur. Toutefois, à l'intérieur, certaines parties du monastère contre le versant de la montagne peuvent atteindre jusqu'à cinq étages. Faite de pierres blanchies à la chaux, la construction se dresse majestueusement à flanc de montagne.

Bien entendu, l'édifice avait perdu sa fonction de forteresse depuis longtemps. Par contre, le dzong était devenu un centre administratif important pour le district de Tashigang et servait également de demeure aux moines représentant l'autorité bouddhiste. Environ 70 moines vivaient dans le dzong à cette époque et la majorité de l'espace intérieur leur était réservé. Le dzong était considéré comme un endroit sacré et, par conséquent, on tenait à l'isoler, autant que possible, des affaires courantes de la communauté. Les autres institutions du gouvernement, l'école, l'hôpital et le cantonnement de l'armée se trouvaient sur un autre éperon à quelque distance de là.

Au moment où le père Mackey arriva à Tashigang, les principaux fonctionnaires administratifs étaient le *thrimpon*, le *nyerchen*, et le *rabjam*. *Thrimpon* signifie, littéralement, «maitre» ou «seigneur de la Loi» et sa fonction était effectivement d'exercer le pouvoir judiciaire à l'intérieur du district. Il était, en outre, le gouverneur ou l'administrateur en chef *de facto*. Il ne s'agissait toutefois pas d'une position très bien rémunérée à l'époque. Le *nyerchen*, quant à lui, était un genre d'intendant, responsable de la perception des impôts payés en espèces. Le *thrimpon* et le *nyerchen* avaient tous deux un adjoint que l'on appelait *rabjam*. Tous ces responsables étaient nommés par le Roi et portaient le titre honorifique de «Dasho».

Comme nous l'avons mentionné, le dzong était isolé du reste de la communauté. Les résidences ordinaires n'étaient pas admises dans son périmètre. On retrouvait cependant quelques édifices à flanc de montagne. Contrairement à la résidence du *nyerchen* qui se trouvait à l'intérieur de la cour, celles du *thrimpon* et des *rabjams* étaient situées à l'extérieur de l'enceinte, tout comme la station radio. On y construisit également plus tard, à proximité, un poste de police et, de l'autre coté du dzong, une petite prison.

À l'intérieur de la ville, l'endroit où se trouve actuellement l'important marché de Mithidrang était à l'époque pratiquement désert, hormis un moulin à eau installé sur le ruisseau qui coulait entre les deux plus hauts versants de montagnes. Il n'y avait aucune boutique. En fait, la région au nord de Samdrupjongkar ne comptait aucun commerce à l'exception de quelques cantines tenues par la Dantak, l'organisation paramilitaire indienne qui construisait la route en direction de Tashigang. Dans certains des plus vastes camps de la Dantak, les cantines étaient ouvertes à tous. Il n'y avait pas beaucoup de choix, mais on pouvait y trouver les articles de première nécessité : savon, alcool, couvertures, serviettes, vêtements et aliments de base comme le sel et le sucre. Les moines avaient bien essayé de tenir une boutique à l'intérieur du dzong, mais l'expérience n'avait pas été rentable.

Le premier véritable commerce, le «magasin communautaire», ne verra le jour que plus tard à Phomshing, situé à environ un kilomètre du dzong. Les autres villes du Bhoutan oriental, comme Mongar et Lhuntse, étaient situées encore plus loin de la route et ne comptaient pas non plus de magasin. Par conséquent, les voyageurs devaient emmener avec eux tous les articles dont ils auraient besoin même si, à l'occasion, il était possible de faire du troc avec les fermiers pour obtenir des produits locaux.

Les premiers commerces virent le jour au milieu des années 60 le long de la route Samdrupjongkar-Tashigang. Les immigrants tibétains, plus doués pour les affaires que les Bhoutanais, furent souvent à l'origine de ces petites entreprises. Dans les districts plus au centre, comme Wangdu Photrang, Tongsa, Jakar (Bumthang) et Mongar, il fallut attendre encore plus longtemps avant de voir les premiers commerces, soit dans les années 70, au moment où la «route latérale» s'étendit à travers tout le pays. Bien entendu, le concept même de restaurant y était inconnu et on attendait du voyageur, même dans les résidences gouvernementales, qu'il apporte sa propre nourriture.

En octobre 1963, au moment où le père Mackey arriva dans la région, la route vers le nord partant de Samdrupjongkar s'arrêtait au village de Rongtong, à environ 17 kilomètres de Tashigang. Les pères Mackey et McCabe eurent l'occasion de se familiariser de très près avec le paysage en parcourant à pied les derniers kilomètres sur la piste brûlante et poussiéreuse. Après avoir contourné le dernier obstacle sur la piste, toute leur fatigue disparut en voyant apparaître devant eux les formes fabuleuses du dzong de Tashigang. Le père McCabe, le supérieur des jésuites, ne demeura qu'un seul jour à Tashigang, tout juste le temps pour observer les lieux, puis il reprit la route vers Darjiling, laissant William Mackey seul pour réaliser son oeuvre.

L'école primaire de Tashigang était située près du sommet d'une colline, sur le versant nord-ouest de la montagne où se trouve la ville. À l'extrémité de l'éperon, on pouvait voir les ruines d'un vieux fort bhoutanais, dont les vieilles pierres servaient à des travailleurs qui construisaient une maison d'accueil. De l'autre coté, une dépression dans le terrain courait jusqu'au flanc de la montagne et offrait un espace relativement plat. L'hôpital se trouvait à cet endroit, ainsi que trois bâtiments faits de bambou qui abritaient, à l'époque, 350 lépreux.

Un peu plus haut, à mi-chemin entre l'école et l'hôpital, il y avait le petit cantonnement de l'armée que l'on appelait l'Aile 4. Il ne s'agissait toutefois pas d'une présence militaire très importante. L'Aile 4 avait pour mission de protéger la région au nord de Tashigang jusqu'à la frontière avec le Tibet. Comme les relations du Bhoutan avec la Chine, qui occupait le Tibet, étaient bonnes, le détachement militaire n'était pas très imposant. Le cantonnement comportait deux maisons pour les officiers (aujourd'hui les résidences des professeurs), les casernes (maintenant le foyer pour étudiants) et un terrain d'exercice qui servait aussi de piste d'atterrissage pour les hélicoptères.

Tous les bureaux et les salles de cours de l'école se retrouvaient à l'intérieur même du bâtiment d'un seul étage en forme de «U». L'école regroupait environ 200 élèves répartis en sept niveaux : LKG (petite maternelle), UKG (grande maternelle), et cinq années de classe allant de un à cinq. Les deux tiers des étudiants provenaient de la région immédiate, ou encore vivaient chez des familles de l'endroit. L'autre tiers était formé de garçons venant de l'extérieur, qui vivaient dans des huttes faites de tiges de bambou tissé. Chacune des huttes regroupait des garçons originaires d'un même endroit ainsi qu'une surveillante également de la même région.

Mademoiselle Pant, une Indienne de cinquante ans, dirigeait l'école de Tashigang. Elle était la soeur de Appa Pant, qui avait été le responsable politique nommé par l'Inde pour administrer le Bhoutan et le Sikkim. Selon tous les témoignages, cet homme avait été un grand ami du Bhoutan et avait fait tout en son pouvoir pour favoriser son développement. Sa soeur, toujours célibataire, semblait tout aussi dévouée à la cause de l'éducation au Bhoutan. Pour une femme de son statut, le fait de travailler dans un endroit comme Tashigang représentait en soi quelque chose de remarquable. Elle vivait dans une seule pièce, dont la fenêtre n'avait pas de vitre, sans eau courante ni électricité.

C'était des conditions de vie qui auraient semblées très primitives à toute personne issue de sa classe sociale.

Mademoiselle Pant était en charge de l'école depuis deux ans et s'était gagné le respect des professeurs, de l'administration du dzong et des écoliers. Elle ne préconisait pas un système de discipline très sévère, et la touche féminine qu'elle apportait compensait la dure sévérité des *lopens* (professeurs de langue bhoutanaise). M. Kharpa, le directeur de l'école, n'imposait pas une discipline trop stricte, mais d'autres, comme Lopen Tak, appelé le «tigre», étaient impitoyables. Les punitions qu'imposait Lopen Tak étaient très sévères et les enfants vivaient dans la peur constante d'être victimes de sa colère, qui pouvait éclater à to t moment, pour un simple bruit, un mouvement interdit ou un travail qui ne respectait pas ses critères de qualité. Un coup de baguette sur la tête représentait souvent la plus faible des punitions.

Pour les *lopens,* mademoiselle Pant était trop clémente. Un soir, on prit un élève du nom de «Radi» Jigme en flagrant délit avec une fille dans une hutte. Lors du rassemblement le lendemain matin, il fut emmené pour recevoir sa punition. Mademoiselle Pant lui dit : «Vous ne le ferez plus jamais, Jigme, n'est-ce pas?» Elle avait avec elle une baguette et lui donna un petit coup. M. Kharpa trouvait la punition trop clémente pour la gravité de la faute. Le matin suivant, lors d'une réunion privée, il frappa Jigme une douzaine de fois sur le derrière avec une corde de bambou tressé imbibée d'eau.

Mademoiselle Pant fut très gentille et serviable envers le père Mackey. Elle semblait cependant un peu déçue de lui laisser la direction de «son » école. Lorsqu'elle quitta l'endroit au début décembre, il n'y eut aucune fête organisée en son honneur et elle prit la direction de Rongtong, à pied, comme tout le monde.

L'école de Tashigang avait été fondée par le docteur Karchung, l'un des rares vétérinaires qualifiés du Bhoutan, alors qu'il était l'administrateur en chef du district. Il était un homme autoritaire, qui avait la réputation de passer outre les personnes qui l'entouraient. Un jour, peu après l'entrée en fonction du père Mackey, il s'immisça directement dans les affaires de l'école. Cette intrusion mit le père Mackey en colère, et il décida de le défier ouvertement. Le docteur Anayat, un ami intime du jésuite, essaya de le calmer. «Ne lui déclare pas la guerre, il est un homme trop important», lui dit-il.

Le docteur Karchung venait du village de Ramjar, à une demi-journée de marche de Tashigang. Alors qu'il était encore enfant, il avait été choisi par le gouvernement pour aller étudier en Inde. On avait dit à sa mère de l'emmener chez l'administrateur du district, le *dzongpoen* comme on l'appelait à l'époque. Sa mère ne voyait toutefois pas l'importance d'obtenir une éducation. Pour elle, la ferme était la seule chose qui comptait. C'est là qu'on avait besoin d'un garçon. Avant d'aller chez le *dzongpoen*, elle dit à Karchung : «Fais comme si tu étais sourd-muet. Si on te pose une question, réponds seulement «euh».»

Ils allèrent tous les deux chez le *dzongpoen* et la mère de Karchung fit le geste de déférence traditionnel devant ce grand représentant de l'autorité : elle garda les yeux baissés et se couvrit la bouche de la main lorsqu'elle lui adressait la parole. Elle n'avait pas oublié d'apporter avec elle le *chanjey*, le cadeau traditionnel que l'on devait offrir à une personne d'un rang supérieur : quelques produits de la ferme et une étoffe tissée à la main. «Je me demande pourquoi vous avez choisi mon fils, dit-elle. Il est sourd-muet.» Elle se retourna alors pour adresser la parole au garçon. Celui-ci lui répondit d'une façon inintelligible : «Euhhh?» Le *dzongpoen* secoua la tête et exprima toute sa sympathie : «Je suis désolé. S'il est sourd-muet, nous ne pouvons le choisir.»

Le *dzongpoen* congédia alors la mère de Karchung, qui recula en fixant toujours le sol et en dirigeant son fils vers la sortie. Alors que Karchung s'apprêtait à franchir la porte, le *dzongpoen* lui demanda : «*Kota, naga ming hang?*» (Quel est ton nom, mon garçon?). «*Janga ming Karchung gila*», répondit-il en se retournant. Sa mère était furieuse. Le *dzongpoen* eut de la difficulté à réprimer un sourire et réprimanda quelque peu la femme. Karchung fut envoyé à la Scottish Universities Mission Institution (SUMI) à Kalimpong, et il obtint ensuite un diplôme en science vétérinaire à l'Université de Calcutta.

Le docteur Karchung, que l'on appelait aussi Babu Karchung, devint une figure légendaire au Bhoutan à cause de sa forte personnalité et de ses «réalisations» plus ou moins officielles. Certaines rumeurs prétendaient même qu'il aurait été impliqué dans le meurtre d'un lama. De plus, comme si ce n'était pas suffisant en soi, le lama en question aurait été nul autre que la réincarnation du grand Shabdrung, le père fondateur du Bhoutan. Ce geste, toujours selon la rumeur, aurait jeté un mauvais sort sur la famille du docteur Karchung. La virilité du docteur avait également inspiré plusieurs histoires. Le roi l'appelait «l'étalon du Bhoutan», et on racontait qu'il avait une femme dans chaque district et des enfants dans chaque ville. Et voilà que le père Mackey voulait l'affronter dans un face-à-face...

Quelques jours après avoir fait sa déclaration, le jésuite passa devant la maison du docteur. Celui-ci l'invita à l'intérieur et lui servit le thé. Ce personnage plus grand que nature était suffisamment puissant pour faire amende honorable.

Le père Mackey était impatient de mettre sur pied une école secondaire de haut niveau. Comme la plupart des écoles primaires éparpillées un peu partout au Bhoutan n'avaient que peu, ou pas du tout, de programme d'orientation générale, il devait commencer à partir du tout début. Cette situation ne lui déplaisait pas.

Le gouvernement avait demandé à la Dantak de suggérer quelques endroits pour ériger la nouvelle école. On croyait que l'organisation indienne qui construisait la route devait avoir une bonne idée à ce sujet. Ses responsables avaient reçu leur éducation dans de bonnes écoles en Inde et possédaient une vaste expérience en construction. De plus, ils avaient eu le temps de bien étudier tout le territoire pendant qu'ils construisaient la route entre Samdrupjongkar et Tashigang. Comme le roi et le premier ministre appuyaient sans réserve le père Mackey, ces fonctionnaires s'empressèrent d'apporter leur aide. Ils se présentèrent donc devant le jésuite pour lui soumettre leurs idées.

Le père Mackey inspecta plusieurs endroits près de Tashigang, mais aucun d'entre eux ne le satisfaisait entièrement. Il savait exactement ce qu'il voulait. Sa première priorité consistait à trouver un terrain adéquat, de préférence plat. Durant ses nombreuses années comme étudiant, professeur et directeur, il avait toujours valorisé la pratique du sport et il connaissait la valeur d'une bonne surface de jeu. En outre, il voulait qu'il y ait beaucoup d'espace sur le campus afin de pouvoir agrandir l'école dans l'avenir.

Après avoir scruté la région immédiate, le père Mackey décida d'aller plus au nord. Il désirait visiter les écoles de Tashi Yantse, de Lhuntse et de Mongar. Il pourrait se faire une meilleure opinion après une évaluation de ces écoles et, en même temps, faire du repérage. Au début du mois de novembre, le père Mackey entama son voyage d'inspection, accompagné d'un officier à l'approvisionnement bhoutanais et de son assistant. Ils engagèrent aussi quelques porteurs locaux pour transporter les marchandises et les vivres. Ces derniers serviraient également de guides et de cuisiniers.

Les voyageurs avaient à leur disposition des poneys, mais le père Mackey préférait faire la route à pied. Sur les pistes abruptes en montagne, il se sentait plus en sécurité lorsqu'il marchait et, de toute façon, les petites selles en bois étaient vraiment trop inconfortables. Ils arrivèrent tout d'abord au Chagzam, le pont suspendu qui permettait de franchir le Drangme chu. Deux longues chaînes de fer supportaient le tablier couvert d'un tapis de bambou tressé. Deux autres chaînes plus élevées ajoutaient au support et servaient d'appui. Juché à 750 mètres d'altitude et surplombant la rivière tumultueuse, le pont offrait une traversée périlleuse aux hommes et aux animaux qui s'aventuraient sur la passerelle instable et élastique.

Le père Mackey et ses compagnons effectuèrent la traversée sans encombres et arrivèrent à la tombée de la nuit au monastère de Gomkora, situé à 24 kilomètres au nord-est de Tashigang. Gomkora était situé parmi des rizières, à un endroit où la vallée s'élargissait suffisamment pour permettre la culture. On aurait dit une oasis entourée de versants montagneux arides et dénudés. Le lendemain, les voyageurs reprirent la route en direction du dzong de Tashi Yantse en suivant le Kulong chu. La vallée de cette rivière, plus haute et plus abrupte, recelait des gorges spectaculaires. Tout en poursuivant sa route, le père Mackey fut émerveillé par la diversité des couleurs et la beauté des fleurs.

Le dzong de Tashi Yantse était le centre administratif et religieux d'un sous-district, appelé *dungkhag*. L'administrateur en chef, le *dungpa*, avait préparé une réception en l'honneur des visiteurs. Mais comme le dzong était passablement éloigné du chemin principal, il déplaça la réception sur la route du père Mackey et de ses compagnons. Tous les gens importants et les moines de la localité étaient présents, et on servit sur place le thé, les mets traditionnels et le plat de cérémonie composé de riz jaune sucré.

L'école de Tashi Yangtse était située quatre kilomètres plus haut dans la vallée, à l'endroit où celle-ci s'ouvre du coté est de la rivière pour former une étendue large et plate très propice à l'agriculture. À l'école, le père Mackey fut très heureux de faire la connaissance des enfants et des professeurs. Le lendemain, il se rendit avec son groupe voir un emplacement dont il avait entendu parler et qu'il jugeait intéressant pour sa propre école. Après quelques heures de marche le long de la rivière Kulong chu, ils arrivèrent à un lieu nommé Bumdeling. Le site était merveilleux, tout près de la rivière, et le terrain avait une vaste superficie plane. L'endroit respectait tous les critères du père Mackey.

L'étape suivante du voyage prévoyait une longue marche en direction de l'ouest dans les montagnes entre les rivières Kulong chu et Kuru chu. Le groupe s'arrêta pour la nuit avant de franchir le col qui leur permettrait de traverser les montagnes. Il faisait très froid en raison de l'altitude élevée, et le père Mackey était très heureux de se remettre en marche le lendemain matin. Le col se trouvait à 4 800 mètres d'altitude, et les hommes devaient marcher dans une neige de près d'un demi-mètre. Pour plus de sécurité, les guides avaient suggéré au père Mackey de monter sur une des mules. De son coté, le jésuite était émerveillé par la résistance des porteurs, qui transportaient tout le matériel, pieds nus, sans être affectés par la neige ou le froid.

Les voyageurs passèrent la nuit dans une vieille école, à flanc de montagne, avant d'atteindre finalement le Kuru chu. Là, ils traversèrent un autre pont suspendu et continuèrent leur route à pied jusqu'au dzong de Lhuntse. Ils passèrent la nuit au dzong, et le père Mackey fut réveillé à cinq heures du matin par le chant puissant des moines. En plus d'être à la recherche du bon endroit pour son école, le jésuite était chargé aussi d'effectuer une inspection non officielle. Dans son rapport, il écrivit que le directeur, un Indien nommé Krishnan, dirigeait «une bonne petite école». Prenant en considération son éloignement de la frontière sud du Bhoutan, il s'agissait de l'école la plus reculée du pays. Avant que l'on construise la route vers Tashigang, les professeurs, comme Krishnan, devaient marcher pendant deux semaines à partir de l'Inde pour y parvenir. Une fois sur place, ils devaient faire face à un sentiment d'éloignement, aux différences culturelles et à un manque complet de ressources à cause des difficultés d'approvisionnement. Il n'y avait pas l'électricité et les loisirs étaient très rares.

Se sentant toujours chez lui dans une école, le père Mackey visita les classes pour voir ce que l'on y enseignait. La plupart des élèves, tous des garçons, ne portaient pas de souliers, pas même les sandales bon marché en caoutchouc venant de l'Inde et qu'on appelle *chappals*. Leur habillement se limitait à un *go* (robe croisée tombant aux genoux des hommes bhoutanais) ou, dans certains cas, à un simple chemisier de toile et ils n'avaient pas de sous-vêtements. Comme les couvertures étaient rares, les vêtements leur servaient aussi de literie.

Krishnan fit visiter au jésuite une petite léproserie située sur la piste à quelques kilomètres de l'école. Elle abritait environ cent malades, répartis dans une trentaine de huttes. Il n'y avait qu'un seul auxiliaire médical qui devait à la fois fournir les soins et administrer le dispensaire.

La ville de Mongar était la destination suivante sur l'itinéraire du père Mackey. Mongar se trouvait à trois jours de marche de Lhuntse en suivant la rivière Kuru chu. À mi-chemin, la présence d'une plaine inondable permit au petit groupe de faire un peu de sport. Après avoir déchargé les poneys, le père Mackey et un de ses compagnons décidèrent de faire une course. Ils s'élancèrent sur leur bête sur la partie plane du terrain, puis firent plusieurs allers retours, en hurlant et en riant. Le jésuite fut déclaré vainqueur, car il avait chuté moins souvent que son adversaire.

Une fois à Mongar, le père Mackey visita une école encore meilleure qu'à Lhuntse. Elle était dirigée par un Indien nommé Sivadasan qui effectuait, selon le jésuite, un excellent travail. C'était la première école visitée par le jésuite au Bhoutan qui avait tenté d'établir un programme. Pendant son séjour à Mongar, William Mackey se rendit à cheval à Lingmethang, située un peu plus à l'ouest dans une riche région agricole. La basse altitude à cet endroit offrait un climat tropical qui était très plaisant à ce temps de l'année. L'armée avait un petit détachement posté à Lingmethang, et le père Mackey s'y entretint avec le *drimpoen* (sergent-major). L'endroit semblait excellent pour une école, avec un terrain plat d'une dimension sufisante et une rivière. Mais le *drimpoen* n'était pas de cet avis. «Père, ne venez pas ici, dit-il. La malaria fait des ravages. Les enfants seraient malades. Il y a beaucoup de problèmes dans cette région, et on ne peut pas contrôler les moustiques.» Le jésuite ne mentionnerait donc pas Lingmethang dans son rapport.

Le père Mackey poursuivit ensuite son excursion plus à l'ouest, sur le versant des montagnes, pendant quatre jours. Le paysage était magnifique. Il arriva à Sengor, qui était passablement en retrait de la route la plus proche et qui n'offrait que très peu de terrain plat. Le seul endroit qui respectait ses critères était occupé par une ferme, un type d'emplacement qu'on lui avait demandé d'éviter autant que possible. Il décida donc de laisser Sengor aux yacks et Lingmethang aux moustiques, et de retourner à Mongar. Mais le jésuite profita de son séjour à l'école de Mongar pour donner quelques cours de sciences aux élèves.

Le temps de retourner vers Tashigang était maintenant venu, et toute l'équipe reprit la route, vers l'ouest cette fois. Le voyage avait duré en tout quatre semaines. Le père Mackey n'avait toujours pas trouvé son emplacement, mais il connaissait maintenant beaucoup mieux le Bhoutan oriental. Ce qui l'avait le plus surpris durant son voyage, c'était que partout où il allait personne ne semblait s'étonner de sa présence. Les gens lui avaient offert l'hospitalité et l'avaient très bien accepté même si, souvent, il était le premier Européen qu'ils rencontraient.

De retour à Tashigang, le père Mackey s'installa temporairement à l'hôpital, prenant la plupart de ses repas en compagnie du docteur Anayat et de sa femme. Ensuite, après le départ de mademoiselle Pant, il déménagea dans sa résidence près de l'école. Le bâtiment en bois comprenait trois pièces en série. La chambre du jésuite mesurait environ quatre mètres sur cinq. Elle comptait quatre fenêtres, sans vitres, que l'on pouvait fermer avec des volets coulissants en bois. Toutes les surfaces étaient de bois non peint, équarri et taillé à la main. Le père Mackey divisa sa chambre en trois : une section dans un coin pour le lit; une autre pour un endroit de prière; le reste lui servirait de bureau de travail.

Une des chambres adjacentes était occupée par un professeur, tandis que l'autre était réservée à un jésuite qui devait arriver plus tard dans l'année. Il n'y avait pas de cuisine, et le père Mackey continuait à prendre ses repas chez les Anayat. Il allait chercher son eau à l'extérieur, à un robinet situé entre sa résidence et celle de quatre chambres occupée par les autres professeurs. Par ailleurs, tous devaient également se partager l'unique salle de toilettes des lieux.

Ce n'était pas à titre de salarié que William Mackey s'était joint à la fonction publique bhoutanaise, car le gouvernement croyait que les règles traditionnelles d'embauche s'appliquaient aussi au jésuite. Cela signifiait qu'il ne recevrait pas d'argent, mais qu'on lui fournirait tout ce dont il avait besoin. Il était donc traité différemment des professeurs indiens, qui travaillaient généralement à contrat. Le père Mackey n'avait, en principe, aucune objection à cet arrangement. Le dzong fournissait des rations de nourriture au docteur Anayat pour ses repas, et il recevait directement les autres produits de première nécessité comme les chandelles et le kérosène. Lorsqu'il avait besoin d'argent, il pouvait en obtenir sur présentation des pièces justificatives appropriées.

En pratique toutefois, le père Mackey n'aimait pas à devoir toujours faire des demandes au dzong pour obtenir de l'argent ou des fournitures. Après quelques mois, le directeur de l'éducation, Dawa Tsering, envoya une directive décrétant que le jésuite recevrait à partir de ce moment des honoraires de 700 roupies par mois, soit environ 150 dollars. La directive prévoyait également qu'il recevrait toujours ses rations de nourriture du dzong. Avec cette nouvelle entente, William Mackey devenait la personne la mieux rémunérée à Tashigang.

Au mois de janvier, le père Mackey reçut l'autorisation d'aller à Darjiling, d'où il espérait ramener des vêtements, des couvertures, des livres, des vêtements sacerdotaux et tout le nécessaire pour sa petite chapelle. Il désirait aussi obtenir pour son école des livres et de l'équipement pour l'enseignement des sciences. La plupart des livres dont ils disposaient étaient en hindi, à l'exception de quelques manuels de mathématiques, de littérature et de grammaire anglaises.

Une fois arrivé à Darjiling, il se rendit à North Point visiter le père Hayden qui était responsable du laboratoire de physique au collège St. Joseph. William Mackey le connaissait depuis de nombreuses années et lui demanda s'il était possible d'obtenir du matériel. Le père Hayden lui laissa entendre qu'il était un homme scrupuleux et qu'il ne pouvait, en toute conscience, dévaliser sa propre école. «Si je te donne de l'équipement, j'aurai des problèmes de conscience. Voici la clef... Prends ce dont tu as besoin et ne m'en parle plus.» Le père Hayden regretta peut-être son geste. Le père Mackey quitta l'endroit avec un microscope, un télescope, des aimants, deux boîtes de lentilles et plusieurs autres petits objets.

Au début de 1964, le premier ministre du Bhoutan se rendit à Tashigang pour inaugurer la nouvelle résidence d'accueil de la famille royale ainsi que pour choisir l'emplacement de la nouvelle école. Le père Mackey lui avait fait parvenir un rapport contenant son évaluation des sites possibles, sans toutefois porter un jugement définitif. Il avait visité Yonphula, au sud de Tashigang, à plusieurs reprises. Il s'agissait d'une recommandation de la Dantak et, à sa première visite, le jésuite avait été impressionné par la beauté de l'endroit et par le vaste terrain disponible. Mais le village, juché à 2 500 mètres d'altitude, était toujours enveloppé par les nuages et le froid lors de ses visites subséquentes, ce qui lui déplut considérablement.

Dans sa tournée au nord de Tashigang, un seul emplacement avait retenu son attention : Bumdeling, au nord de Tashi Yantse. Situé à proximité des hautes montagnes, près de la frontière avec le Tibet, Bumdeling offrait un paysage fabuleux, un bon ruisseau et un terrain suffisamment plat. Le père Mackey avait adoré l'endroit. Mais, malheureusement, Bumdeling était vraiment trop éloigné. Il fallait déjà trois jours pour rejoindre Tashigang, et il n'était pas encore question de prolonger la route plus au nord. Il ne restait donc que deux endroits possibles : Thragom, près de du village de Kanglung, à 22 kilomètres sur la route au sud de Tashigang, et Kanglung même, un peu plus au sud.

Le père Mackey portait l'habillement traditionnel bhoutanais pour accueillir le premier ministre lors de son arrivée à la base militaire. C'était la première fois qu'il portait le *go* et ses accessoires, et l'arrivée intempestive de l'hélicoptère modifia un peu l'allure de sa tenue d'apparat. Il essayait encore de remettre en place le long *kabney* blanc (écharpe) qu'il portait alors que le premier ministre s'approchait de lui. «Qu'essayez-vous donc de faire, mon père?» lui demanda-t-il.

Un peu plus tard, les deux hommes discutèrent du choix de l'emplacement pour la nouvelle école. Le temps était venu de prendre une décision finale. Le père Mackey exposa brièvement au premier ministre quelles étaient les possibilités et fit état de sa préférence pour Kanglung. Le premier ministre voulait voir les sites, et ils se rendirent en l'hélicoptère jusqu'à Rongtong. Après un court repas, ils entreprirent leur marche vers Kanglung.

Le premier ministre refusa le premier choix, celui de Thragom, parce qu'il aurait fallu déplacer plusieurs familles d'agriculteurs. Le jésuite lui montra ensuite le second site, à Kanglung, où on avait prévu de construire une nouvelle base militaire. «Ce terrain est à vous, mon père, dit le premier ministre. L'armée trouvera bien un autre endroit.» La question fut ainsi vite réglée. Les deux hommes s'assirent alors sur un grosse roche et commencèrent à tracer sur le sol quelques ébauches de la future école.

Chapitre 4

LA LANGUE CONSTITUE SOUVENT UN PROBLÈME AU BHOUTAN. SIMPLEMENT EN se déplaçant d'une vallée à une autre, on peut souvent noter des changements linguistiques significatifs. Il y a au Bhoutan quatre souches principales de langage. Premièrement, le dzongkha (la langue du dzong) représente la plus importante de celles-ci. C'est la langue officielle du pays et elle est parlée par la majorité de la population au Bhoutan occidental. Deuxièment, il y a le tsangla, communément appelé sharchopkha, qui est la langue dominante au Bhoutan oriental. Comme la partie orientale du pays est plus densément peuplée que la partie occidentale, le tsangla est parlé par beaucoup plus de personnes que le dzongkha. Troisièmement, au sud près de la frontière, la forte population d'origine népalaise utilise bien entendu le népalais. Il s'agit par conséquent d'un autre courant linguistique majeur. Et, quatrièmement, il existe au Bhoutan central un autre noyau distinct de langages. Enfin, en plus de ces souches dominantes, plusieurs autres langues et dialectes sont parlées dans différentes régions du pays par des populations moins nombreuses.

Ces langues populaires du Bhoutan, à l'exception du népalais, n'avaient pas de tradition écrite. Tous les documents officiels, religieux et scientifiques étaient écrits en choekey (tibétain classique). Mais, à l'exception de quelques fonctionnaires et religieux, bien peu de personnes savaient lire ou écrire cette langue. L'utilisation du choekey au Bhoutan peut s'apparenter, en quelque sorte, à celle du latin en Occident ou du sanskrit en Inde. L'absence d'une langue bhoutanaise populaire écrite expliquait en partie pourquoi les autorités avaient pris la décision d'enseigner l'hindi à l'école primaire. De plus, l'Inde représentait le principal partenaire du Bhoutan, et il était possible d'y engager de nombreux enseignants compétents.

Au moment où le père Mackey arriva au Bhoutan, ce pays se préparait à prendre des décisions importantes concernant la langue. Parmi celles-ci, le gouvernement décida de faire de l'anglais la langue d'enseignement dans toutes les écoles du pays. Pour expliquer ce choix, les autorités avançaient, d'une part, que le choekey était une langue classique «étrangère» et que, d'autre part, l'hindi et le népalais étaient très peu parlés dans l'ensemble du Bhoutan et étaient en fait les langues de pays voisins.

Bien que l'anglais soit également une langue étrangère, il s'agit toutefois d'un langage international. Même l'Inde reconnaissait l'anglais et l'utilisait couramment tant dans les milieux officiels que dans la population en général. Cette décision ne fut donc jamais considérée comme une menace culturelle en provenance d'un État voisin. En outre, les écoles bhoutanaises enseignaient déjà l'anglais à leurs étudiants. Par conséquent, la décision des autorités d'engager le père Mackey, un anglophone, pour implanter la première école de haut niveau du pays s'inscrivait bien dans cette nouvelle orientation du système scolaire du Bhoutan.

Pour les communications de tous les jours, le père Mackey utilisait le népalais, qu'il maîtrisait assez bien. Il s'agissait de la langue la plus courante au Bhoutan oriental après le sharchopkha. Alors que le réseau routier du Bhoutan se développait de plus en plus, le népalais devenait progressivement la *lingua franca*, sauf dans les régions rurales. Le père Mackey pouvait aussi s'entretenir en anglais avec la plupart des employés du système d'éducation. Mais plusieurs personnes à Tashigang ne parlaient cependant anglais, hindi ou népalais. Parmi ceux-ci, il y avait un des meilleurs amis du père Mackey, Phongmey Dungpa, qui ne connaissait que le sharchopkha. Le jésuite apprit quelques notions de cette langue, suffisamment pour se faire comprendre en y ajoutant un peu de népalais.

Sur le plan de la religion, le père Mackey s'intéressait beaucoup au bouddhisme, principalement à la façon dont il était enseigné et pratiqué au Bhoutan. Il devint rapidement un ami du *umdze*, le supérieur des moines, et se rendait souvent au dzong pour lui rendre visite. Le *umdze* ne parlait cependant que le sharchopkha. Le père Mackey amenait donc avec lui un des ses meilleurs étudiants, Radi

Jigme, pour lui servir d'interprète. Âgé de 14 ans à l'époque, Radi Jigme était un enfant intelligent mais qui avait aussi ses défauts. Il pouvait traduire les conversations théologiques entre les deux hommes, ce qui représentait un accomplissement pour un étudiant de son âge, mais il lui arrivait à l'occasion de manquer de discrétion. C'est pourquoi, quand le *umdze* désirait faire goûter une liqueur au père Mackey, il demandait à Radi Jigme de patienter dans le couloir puisqu'il était interdit en principe de boire de l'alcool au dzong.

Le père Mackey avait la réputation d'être énergique et doté d'un bon sens de l'humour. À Tashigang, il rencontra deux hommes qui aimaient une bonne blague tout autant que lui : le docteur Anayat Yaganegi et Phongmey Dungpa. Le jésuite avait fait la connaissance du docteur Anayat dès les premiers jours suivant son arrivée, alors qu'il n'avait pas d'endroit où prendre ses repas. Le docteur et sa femme, Lingshay, l'invitèrent donc à manger à leur table. En échange, le père Mackey insistait pour les payer. Cet arrangement dura trois ans, même après que le jésuite eut pris possession de son logement. L'amitié entre les deux hommes était sincère et dura jusqu'à la mort de William Mackey.

Indien d'origine iranienne, le docteur Anayat connut de nombreuses difficultés au Bhoutan parce qu'il ne pouvait prouver, à la satisfaction des agents d'immigration, sa nationalité indienne. Finalement, en 1970, les autorités bhoutanaises lui accordèrent la nationalité du pays, un honneur très rare réservé à ceux qui ont rendu de grands services à la nation.

Lorsqu'ils étaient ensemble, le docteur et le jésuite aimaient bien se jouer des tours. Par exemple, quand ils devaient traverser un pont suspendu, le père Mackey aimait bien s'amuser aux dépens de son ami, qui souffrait du vertige. Le jésuite secouait le pont autant que possible, et le pauvre docteur devait s'agenouiller et s'agripper au pont. Même lorsqu'ils furent plus âgés, il arrivait qu'un des deux hommes verse pour s'amuser un bol de crème glacée sur la tête de l'autre pendant un repas.

Phongmey Dungpa était l'autre grand ami du père Mackey. Il venait du village de Promrong, dans le district de Bumthang. Son véritable nom était Drolma Sithub, mais tout le monde préférait l'appeler «Phongmey Dungpa» qui correspondait plutôt à un titre, celui de *dungpa*, le chef d'un sous-district. Phongmey Dungpa avait mérité son nom lors d'une épreuve de tir à l'arc entre le Bhoutan et le Sikkim. La compétition tirait à sa fin, et il était le dernier représentant de l'équipe bhoutanaise. Son dernier tir déciderait du vainqueur de la compétition. Il toucha la cible, et le Bhoutan remporta la victoire. Le roi et le premier ministre assistaient à l'épreuve et, à titre de récompense, ils nommèrent l'archer *dungpa* de Phongmey. À l'arrivée du père Mackey à Tashigang, Phongmey Dungpa n'occupait déjà plus cette position, mais il en avait néanmoins conservé le titre. Il était un parent du *thrimpon* et travaillait maintenant pour lui. Le père Mackey fit sa connaissance par l'entremise du docteur Anayat, un ami commun, alors qu'il supervisait la construction de la résidence d'accueil de la famille royale. Lors de la visite du premier ministre, en janvier 1964, le jésuite put constater que Phongmey Dungpa n'était pas seulement un homme très compétent, mais qu'en plus il possédait un grand sens de l'humour. Il s'occupa de tous les détails concernant la visite, toujours avec le sourire.

Tout pouvait survenir lorsque le docteur Anayat et Phongmey Dungpa se retrouvaient ensemble. Lorsque le père Mackey se joignait à eux, ils étaient capables du meilleur... et du pire. Les trois rigolos atteignirent même une certaine forme de notoriété nationale. On les appelait les trois *guluphulus* (coquins un peu fous). Compte tenu du grand humour qui animait la relation entre les trois amis, il n'était pas étonnant qu'ils s'appellent *guluphulu* entre eux. Personne ne savait qui avait commencé, mais tout le monde dans la région connaissait le père Guluphulu, le docteur Guluphulu et Dungpa Guluphulu. Ce genre de drôlerie ne prend pas de temps à se répandre au Bhoutan, même jusqu'au sommet de la hiérarchie.

Lors d'une visite à Tashigang, le roi vit de sa chambre trois *dungpas* se promener dans la cour dont, parmi eux, Phongmey Dungpa (qui n'était plus *dungpa*). Le roi alla les rejoindre discrètement alors qu'ils discutaient entre eux et demanda, de façon impromptue, qui était «Dungpa Guluphulu». Surpris et intimidés, les deux *dungpas* accompagnant Phongmey Dungpa le pointèrent du doigt sans hésitation. Phongmey partit immédiatement à la recherche du père Mackey, car lui seul pouvait lui avoir joué un tour pareil. Avec une rage toute feinte, il le poursuivit avec un bâton sur une bonne distance. Le roi savait très bien que Phongmey Dungpa était un homme compétent, mais cela ne l'empêcha pas, par la suite, de toujours l'appeler «guluphulu».

Maintenant qu'on avait choisi l'emplacement pour l'école, le père Mackey voulait travailler à améliorer le corps professoral. Il se rendit dans le district de Darjiling pour recruter des enseignants de carrière qu'il avait connus auparavant, ou encore d'anciens étudiants devenus professeurs. La plupart des enseignants au Bhoutan venaient de l'État du Kerala, en Inde, une région où l'on retrouvait un haut niveau d'éducation chez la population et qui fournissait des professeurs à plusieurs autres régions du pays, parfois même à l'étranger. Pendant longtemps, les Indiens formeraient la majeure partie du corps professoral bhoutanais. Beaucoup d'entre eux venaient au Bhoutan pour des raisons financières, car les salaires y étaient supérieurs à ce qu'ils touchaient en Inde. Même si cette situation les avantageait, ils conservaient néanmoins une attitude un peu hautaine envers la culture et le peuple bhoutanais.

Le père Mackey avait beaucoup de respect pour les professeurs indiens. Malgré les salaires relativement élevés qu'ils touchaient, leurs conditions de travail étaient souvent difficiles, particulièrement dans les régions éloignées comme Tashi Yantse, Lhuntse et Mongar. Ils réussissaient malgré tout à effectuer un bon travail et faisaient preuve de dévouement. Avant la construction de la route, les professeurs devaient marcher depuis la frontière de l'Inde jusqu'à leur école, ce qui pouvait prendre jusqu'à une semaine. L'approvisionnement devait suivre la même route et, par conséquent, les marchandises étaient rares et coûtaient très cher.

Le mode de vie des enseignants se limitait à l'essentiel. Comme personne n'avait l'électricité, la plupart des activités se terminaient au coucher du soleil. Les gens rentraient donc très tôt. Pas de cinéma, de boîte de nuit ou de télévision. Pas même de magasins ou de restaurants. Chacun devait se divertir comme il le pouvait. Pour la majorité des professeurs indiens, la culture, le climat et l'environnement leur étaient totalement étrangers. Quelques-uns ne réussissaient même jamais à s'acclimater. Selon le père Mackey, un nouveau venu avait autant de chance de devenir alcoolique que bon professeur. Ils prenaient tous une direction ou l'autre, de façon à conserver leur équilibre mental, pourrait-on penser. S'engager à fond dans le système scolaire et dans la communauté permettait aux professeurs de trouver un exutoire à son énergie et à sa créativité. S'ils ne pouvaient y arriver, ils se tournaient vers l'alcool bon marché fabriqué sur place ou celui importé (comme le très populaire rhum Apsoo).

M. Kharpa, un Bhoutanais, enseignait l'anglais. Mais la plupart des autres professeurs originaires du pays enseignaient le choekey ou le dzongkha. On les appelait *dzongkha lopen* ou, plus simplement, *lopen* qui signifie «maître». Sauf pour ce qui était des *dzongkha lopens*, il y avait peu d'enseignants bhoutanais. La plupart des Bhoutanais éduqués se dirigeaient, volontairement ou non, vers d'autres professions. Même si le roi et le premier ministre reconnaissaient l'importance des professeurs, le gouvernement, en général, considérait le métier d'enseignant comme une occupation de moindre importance.

En plus d'améliorer la qualité de l'enseignement, le père Mackey désirait également obtenir du matériel pour l'étude des sciences ainsi que des livres pour la bibliothèque. L'intérêt était si grand pour les sciences qu'il organisa, un samedi après-midi, une démonstration ouverte au public. À un certain moment, il accompagna le *thrimpon* et sa femme à un stand de l'exposition. Il fit une démonstration à ses invités du pouvoir d'attraction que possèdent les aimants. Il demanda à la femme du *thrimpon* de faire un essai. Lorsqu'elle rapprocha les deux aimants, elle sentit un effet de répulsion plutôt que d'attirance. Terrorisée et croyant avoir affaire à une force diabolique, elle laissa tomber les aimants et s'enfuit de la salle. Elle revint un peu plus tard, calmée et curieuse, pour observer de nouvelles expériences scientifiques.

Quand le père Mackey constata le grand intérêt des Bhoutanais pour la science, il se procura autant d'instruments scientifiques que possible lors de son voyage annuel d'un mois à Calcutta durant les vacances d'hiver. Les étudiants bénéficièrent énormément de ces expériences. Ils pouvaient visualiser finalement ce qu'ils avaient vu dans les livres et, même si les ressources étaient limitées, ils commencèrent à utiliser le peu à leur disposition pour étudier et comprendre certains principes élémentaires comme l'effet de levier à l'aide de pierres et les plans inclinés à l'aide de morceaux de bois. Cette approche offrait des avantages à long terme. Une bonne proportion de ces étudiants issus de la première classe de niveau 6 au Bhoutan occupèrent par la suite des postes importants comme professeurs, ingénieurs civils ou autres.

William Mackey s'attaqua aussi au problème d'acquisition de livres scolaires. L'école possédait peu de manuels, et son budget d'acquisition ne lui permettait pas de se procurer tout ce dont elle avait besoin. Le jésuite écrivit à son père au Canada afin qu'il envoie des livres usagés à Tashigang. Herbert Mackey se mit à la tâche avec ardeur. Il demanda à ses amis et à ses voisins au Canada de ramasser le plus de livres et de manuels possible et de les envoyer au Bhoutan dans des colis comprenant chacun cinq volumes. Le résultat fut phénoménal. Très rapidement, le père Mackey commença à recevoir des sacs postaux du Canada, deux ou trois à la fois, remplis de livres en provenance du Canada.

À cette époque, il n'existait pas au Bhoutan de service postal régulier. Ainsi, le courrier du père Mackey arrivait à une plantation de thé près de Kumarakita au sud de Samdrupjongkar. Les sacs postaux arrivaient toujours en bon état. Ce n'était toutefois pas le cas du magazine *National Geographic,* que son ancien maître scout lui envoyait fidèlement tous les mois. L'emballage était toujours ouvert lorsque le magazine arrivait à destination. À la visite suivante du père Mackey à la plantation, il se rendit au bureau de poste pour demander au responsable s'il savait ce qui arrivait à ses magazines. Le postier le supplia de ne pas se fâcher après lui avoir avoué sa «culpabilité». Il aimait bien lire ce magazine éducatif. Il ajouta qu'il avait toujours fait bien attention de ne pas souiller ou endommager aucun exemplaire. Touché de cet aveu, William Mackey lui dit qu'il pouvait continuer à lire son *National Geographic*. Ils devinrent par la suite de bons amis.

Le père Mackey obtint également plus de fonds pour l'achat de livres et, grâce aux arrivages en provenance du Canada, il réussit à mettre sur pied la meilleure bibliothèque scolaire du Bhoutan. Lorsqu'il déménagea à la nouvelle école, il confia la librairie et l'équipement scientifique aux deux professeurs indiens qui le remplaçaient. Lorsque ceux-ci quittèrent l'école, le père Mackey apprit que tous les livres ainsi que le matériel scientifique avaient disparu.

À l'arrivée du père Mackey, l'homme le plus important de Tashigang était Tamji Jagar, le *thrimpon* (administrateur en chef) de ce grand et très populeux *dzongkhag* (district). Né dans le district de Bumthang, ce Bhoutanais joignit la fonction publique à l'adolescence et gravit par la suite tous les échelons de l'administration. Il deviendrait par la suite le tout premier ministre de l'Intérieur du Bhoutan.

Tamji Jagar avait la réputation de très bien comprendre les gens, et tout particulièrement ceux de la population rurale. Comme *thrimpon*, il devait souvent agir comme juge pour régler les différends. Il savait faire preuve de compassion et de sagesse, même si ses décisions ne respectaient pas toujours la tradition. William Mackey eut l'occasion d'assister à un de ces «procès» : deux groupes se disputaient un terrain, et une des parties mêlées à cette affaire était, indirectement, une école. Les débats furent très houleux et, plutôt que de calmer les opposants, Jagar jeta de l'huile sur le feu. Le premier matin, il froissa l'une des parties, provoquant un esclandre, au grand amusement de la partie adverse. Puis les rôles furent inversées à la séance de l'après-midi. Le *thrimpon* continua ce petit manège pendant trois jours. Il vint finalement à bout de la rage des deux parties, un véritable défoulement thérapeutique... Tamji Jagar pouvait maintenant rendre son jugement, tout en sachant bien que les deux adversaires avaient tiré quelque chose de cet exercice purificatoire.

Le père Mackey, dès les tous débuts, avait apprécié l'appui que lui avait accordé le *thrimpon*. En 1963, les étudiants qui provenaient de l'extérieur de Tashigang vivaient dans de petites huttes de bambou. Le jésuite voulait améliorer leurs conditions de vie et il savait qu'il était impensable de construire un nouvel édifice. L'école demeurait donc la seule solution acceptable. Il invita le *thrimpon* à l'école et lui montra le toit. «Si nous pouvions soutenir ce foutu toit, lui dit-il, il serait possible d'y loger les étudiants». Les deux hommes planifièrent en entier le projet, dont ils confièrent la réalisation à Phongmey Dungpa. Tamji Jagar continua à suivre le projet jusqu'à sa complète exécution.

L'année suivante, en 1964, l'école manqua de nourriture. Environ trente étudiants, surtout ceux originaires de Khyeng, une région éloignée, furent incapables de fournir leurs rations. Il s'agissait principalement d'un problème de transport dû au débordement des rivières. Le père Mackey se rendit chez le *thrimpon* pour lui demander son aide. Tamji Jagar lui promit du riz et du maïs, qu'il prendrait directement dans ses stocks. On n'ébruita pas l'affaire cependant, et la livraison se fit tard le soir pendant que tout le monde dormait.

Malgré sa position élevée de *thrimpon*, Tamji Jagar rendait souvent visite au père Mackey, comme s'il était un voisin bien ordinaire. Pour sa part, le jésuite allait souvent prendre le dîner chez lui. Il appréciait beaucoup le sens de l'humour du vieil homme, qui pouvait se manifester en toute occasion.

Le poste de *nyerchen* était le deuxième en importance au dzong. Il était occupé par Tashi Tsering, qu'on l'appelait plus souvent Babu Tashi. Celui-ci s'occupait de la comptabilité et de la perception des impôts et taxes. Mais il ne s'agissait pas d'un emploi de percepteur ordinaire, puisque la plupart des paiements se faisaient en nature et le *nyerchen* devait superviser l'entreposage des produits reçus (riz, maïs, tissus, etc.). En outre, chaque famille devait consacrer au dzong du temps de travail, le *ula*, soit environ un mois par année pour chaque personne.

Même si de nos jours les Indiens utilisent le terme «Babu» de façon sarcastique pour désigner un commis prétentieux ou un Hindou anglicisé, ce nom dénotait à l'origine beaucoup de respect. C'est dans ce sens que le *nyerchen* avait hérité de ce titre. Babu Tashi venait de Pemagatshel au sud-est du Bhoutan. En 1914, il avait été sélectionné en même temps que Karchung et Kharpa, sous le règne du premier roi Ugyen Wangchuk, pour poursuivre ses études en Inde. Il suivit ensuite un cours pour devenir professeur à l'Université de Calcutta. Kharpa et lui devinrent les deux premiers éducateurs de formation du Bhoutan. Babu Tashi fonda quelques-unes des premières écoles du pays, sous le second roi, et fut le tuteur du troisième roi. Il parlait cinq langues : sharchopkha (sa langue maternelle), dzongkha, népalais, hindi et anglais.

Babu Tashi croyait à une discipline ferme. Si William Mackey avait le malheur, par oubli, de laisser entendre que son fils, Sonam Tobgye, s'était mal conduit à l'école, le pauvre garçon recevait toujours une sévère correction à la maison. Babu Tashi n'était pas une personne très chaleureuse, et la plupart des gens le craignaient. Il était aussi très religieux, un peu trop peut-être au goût du père Mackey. Le jésuite appréciait le *nyerchen* pour sa compétence et son travail en faveur de l'éducation, mais il ne voyait pas en lui la même sagesse que possédait Tamji Jagar. Un jour, lors d'une conversation, le père Mackey lui parla de la possibilité d'un journal au Bhoutan. L'homme lui répondit, sur un ton sévère : «Il n'y aura jamais de journal dans ce pays». Pourtant, deux mois plus tard, le *Kuensel*, le journal national du Bhoutan, publiait sa première édition.

Le père Mackey ne connaissait pas très bien le *rabjam* (bras droit) de Tamji Jagar. C'était un moine qui vivait au dzong et il ne faisait pas partie des «réguliers». Par contre, le jésuite devint un très bon ami du *rabjam* de Babu Tashi. Il s'appelait Tenzin «Ten» Dorje. Ses spécialités étaient les finances et la comptabilité, dont il s'occupait avec beaucoup de diligence.

Même si le Bhoutan possédait sa propre devise, l'utilisation de la monnaie indienne était très courante, même par le gouvernement. Il faudrait attendre encore plusieurs années avant que le ngultrum, l'unité de base de la monnaie bhoutanaise, ne soit utilisé par tous. Lorsque l'Inde modifia son système monétaire, basé sur la roupie, l'anna et la paisa, le gouvernement bhoutanais chargea Ten Dorje de convertir le système pour le dzong. Comme il avait utilisé l'ancien système toute sa vie, il demanda au père Mackey de lui enseigner le système décimal pour effectuer la conversion. Tous les montants d'argent de la comptabilité devaient être modifiés. Il s'agissait d'un travail fastidieux à une époque où on ne pouvait compter sur l'aide d'une calculatrice. Ten Dorje se mit à la tâche avec patience et minutie.

Au Bhoutan, le taux de criminalité était très faible et la violence, extrêmement rare. Les disputes qui éclataient entre citoyens étaient en général dues à l'alcool. Néanmoins, Tashigang possédait son poste de police et sa prison. Il s'agissait en réalité de huttes de bambou, et les mesures de sécurité étaient très peu sévères. On se contentait d'attacher les prisonniers avec des fers. La prison comptait rarement plus d'une douzaine de détenus.

Les prisonniers devaient travailler toute la journée. Après leurs heures de travail, ils pouvaient circuler en liberté dans le village. Le dimanche, alors que le dzong était fermé, ils pouvaient visiter la famille et les amis et ne devaient réintégrer leurs quartiers qu'en soirée. Certains crimes entraînaient une peine d'emprisonnement, sans toutefois couvrir de honte le coupable. Il arrivait, par exemple, que des villageois brûlent une partie de la forêt pour faciliter l'agriculture. Les paysans avaient besoin de nouvelles terres et, s'ils se faisaient prendre, ils devaient en payer le prix à tour de rôle.

Le vol n'existait pas au Bhoutan. Le père Mackey découvrit avec étonnement qu'il pouvait laisser sa porte ouverte sans danger. À cette époque, la plupart des habitants ne comprenaient pas encore très bien la valeur des billets de banque. Lorsqu'un garçon apercevait un billet de 10 roupies sur sa table, il pouvait le regarder avec attention, mais son intérêt se limitait à la curiosité.

Les relations sexuelles hors mariage pouvaient également entraîner des excès de violence. Les Scharchopas, un peuple terre à terre, condamnaient le sexe avant le mariage, et l'adultère pouvait avoir des conséquences sérieuses. Il arrivait que la personne victime de l'adultère, se sentant outrée, attaque la partie coupable, en général un homme. Il arrivait aussi qu'on lui demande une compensation financière. Lorsqu'un enfant naissait d'une telle liaison, il pouvait ainsi recevoir tous les soins nécessaires.

Le divorce était possible sans formalité contraignante et se réglait par une entente entre les parties. Mais le père Mackey ne vit que peu de cas de divorce. Il était possible, par ailleurs, pour un mari d'avoir une seconde femme, et même une troisième. Cette situation pouvait s'expliquer par le fait que beaucoup d'hommes de la région devenaient moines. Il y avait par conséquent plus de femmes célibataires que d'hommes. Quand un homme avait plus d'une épouse, il s'agissait généralement des soeurs de cette dernière. Il était plus rare de voir une femme avec plusieurs maris (toujours ses frères), mais c'était tout de même accepté par la société. Lorsqu'il y avait plus d'une épouse au sein d'une famille, on procédait alors à une division du travail entre les différents membres.

Le Bhoutan oriental était reconnu pour ses positions libérales concernant la sexualité et ses manifestations comme la «chasse de nuit». Le père Mackey trouvait sain cet esprit d'ouverture sans mystère ni tabou. Pour les Scharchopas, les relations sexuelles sont une chose normale, un élément naturel de la vie et le sujet de nombreuses plaisanteries. Les femmes mariées, tout particulièrement, aiment bien faire des blagues à ce sujet.

«La chasse de nuit» constitue une tradition chez les jeunes Bhoutanais, leurs premiers pas dans le monde de la sexualité adulte. Il s'agit d'une étape préliminaire qui souvent mène au mariage. Les jeunes hommes sont libres de sortir le soir et de se promener dans les rues. Ils peuvent même se regrouper et vivre ensemble dans une hutte à l'écart de la maison familiale. Le père Mackey pouvait donc les voir déambuler dans les rues, le soir, faisant des blagues et élaborant toutes sortes de plans. Pour certains d'entre eux, la «chasse» prenait l'allure d'une compétition : de combien de maisons allaient-ils se faire expulser ce soir?

Bien peu de demeures possédaient l'eau courante, et les garçons profitaient souvent de la dernière excursion à l'extérieur du père ou de la mère, répondant à l'appel de la nature, pour s'infiltrer dans la demeure d'une jeune fille. Plus souvent qu'autrement, les ricanements de celle-ci avertissaient les parents de la présence de l'intrus. Ils découvraient le garçon et le jetaient rapidement dehors. Le jeune homme reprenait alors la même tactique dans une autre maison, jusqu'à ce qu'il obtienne ce qu'il désirait ou, plus probablement, jusqu'à ce que la fatigue le gagne. Le lendemain, il pouvait se vanter de ses exploits, fructueux ou non.

Les aventures amoureuses n'étaient cependant pas la cause des disputes les plus fréquentes. La plupart des litiges découlaient du partage de la terre, nécessaire pour la culture, l'élevage, l'eau et le bois. Les limites des propriétés étaient rarement bien définies, et les propriétaires terriens étaient souvent absents. Quand un locataire voyait une partie de terrain non utilisée, il arrivait qu'il en profite pour y étendre ses activités agricoles. Ces appropriations sans titre résultaient la plupart du temps en confrontations ouvertes, et les parties devaient alors comparaître devant le *thrimpon*. D'autres problèmes survenaient également lorsque des propriétaires terriens, des gens puissants comme la famille royale vivant en général à Thimphu, donnaient une terre à un serviteur. Il s'agissait la plupart du temps d'ententes verbales qui entraînaient des disputes par la suite, soit que les limites n'aient pas été bien tracées ou encore que plusieurs parties réclament le même lot. Il arrivait aussi que le premier propriétaire ne se souvenait même plus d'avoir donné le terrain ou encore à qui exactement il l'avait accordé. Dans toutes ces causes, le rang social des parties demeurait toujours un facteur dont il fallait tenir compte.

Le père Mackey vit quelques-uns de ses étudiants aux prises avec des problèmes de propriété. Par exemple, si un parent décédait alors que le garçon était toujours à l'école, d'autres parents pouvaient alors profiter de l'absence de l'héritier pour tenter de s'approprier les titres. Dans de telles circonstances, l'élève devait retourner chez lui en vitesse pour faire valoir ses droits. Pour empêcher une telle situation, il arrivait que le garçon se marie avec une femme d'un certain âge afin qu'elle surveille ses intérêts durant son absence. Plus tard, à son retour, le garçon pouvait choisir une seconde épouse plus jeune s'il le désirait.

Avant son arrivée au Bhoutan, le père Mackey avait passé 17 années en Inde parmi des gens d'origine népalaise. Les Népalais sont plus ouverts et démonstratifs que les Bhoutanais. Comme tout le monde, les Bhoutanais aiment bien se payer du bon temps et ils peuvent, à certains égards, être très chaleureux. Toutefois, ils ont toujours été, et seront peut-être toujours, un peuple secret qui ne se dévoile pas facilement. Cette attitude n'ennuyait pas du tout William Mackey. Il ne faisait pas de sociologie ou d'anthropologie et il acceptait les gens tels qu'ils étaient. Au cours des ans, il apprit beaucoup de ce peuple mais sans jamais le juger. Cet esprit d'ouverture ainsi que son approche humaniste et modeste lui procurèrent le respect et l'amitié des Bhoutanais.

Après avoir passé six mois au Bhoutan, le père Mackey ne connaissait pas encore très bien le pays et il fut pris totalement par surprise lorsque de sérieux troubles politiques éclatèrent au début de 1964. Au plus grave de la crise, le 5 avril 1964, le premier ministre Jigmie Dorji fut assassiné à sa résidence de Phuntsholing. La nouvelle de sa mort secoua terriblement le jésuite. Il considérait le premier ministre à la fois comme son protecteur et son ami. Sa première réaction fut d'organiser une commémoration à l'école pour signaler son décès. Il invita les principaux responsables de Tashigang pour qu'ils prennent la parole devant les élèves. Selon le père Mackey, Jigmie Dorji avait été un grand homme pour son pays. Il croyait que tout le monde était de son avis. La réaction des autorités locales le surprit énormément. Plusieurs d'entre eux ne pensaient pas qu'il était approprié de prendre la parole lors de la cérémonie. Le père Mackey fut donc le seul à s'adresser aux étudiants pour faire l'éloge du premier ministre et décrire tout ce qu'il avait fait pour le Bhoutan.

Cet événement fit prendre conscience au père Mackey à quel point il connaissait mal son nouveau pays d'accueil. Plus tard, il comprit un peu mieux ce qui était arrivé. Il y avait, bien entendu, des spéculations de toutes sortes pour expliquer l'assassinat. On disait même que les blessures du premier ministre n'auraient peut-être pas été fatales s'il avait reçu les traitements appropriés. De telles rumeurs étaient normales dans les circonstances, mais on n'alla pas jusqu'à prétendre que ces manquements aient pu être délibérés. Certaines personnes prétendirent également qu'il y avait de fortes tensions entre les familles Dorji et Wangchuk. Ces rumeurs ne furent jamais prouvées, mais elles jetèrent la disgrâce sur le monde politique bhoutanais pendant de nombreuses années. Les conséquences de cet attentat furent plus sérieuses que la mort d'un seul homme. Comme l'exprima le père Mackey, «un grand malaise s'étendit sur tout le pays... et beaucoup de tristesse».

Chapitre 5

les plans concernant la construction de la nouvelle école. Le roi tenait au projet et demanda au père Mackey de mettre sur pied un nouveau programme scolaire pour le Bhoutan. Le jésuite savait que le programme d'étude devrait comprendre la langue bhoutanaise, l'anglais, les mathématiques, les sciences, l'histoire et la géographie. Toutefois, il fallait également que le programme soit compatible avec un système d'éducation étranger afin que les étudiants puissent poursuivre des études supérieures. Le choix logique était le système indien, dont deux programmes étaient offerts tout près : le Conseil d'éducation secondaire du Bengale-Occidental et le système Cambridge. Le père Mackey opta pour le premier système qu'il connaissait mieux. Le roi avait également émis l'opinion que les étudiants formés dans le système élitiste du programme Cambridge s'intégraient mal une fois revenus au pays. Le système d'immatriculation bhoutanais débuta en 1964 avec une première classe de sixième année. Le système devrait s'étendre progressivement, une classe à la fois, jusqu'à la dixième année en 1968. Quelques écoles, dont Mongar, Paro et Thimphu, suivirent l'exemple de Tashigang et adoptèrent le nouveau programme scolaire.

Dawa Thering était le principal collaborateur de William Mackey durant ces premières années. Les deux hommes avaient fait connaissance en 1963, à Paro, où ils avaient entamé leurs premières discussions. Dawa Tsering était un diplômé universitaire en économie et, à son retour au pays, il avait joint la fonction publique bhoutanaise où il travaillait en étroite collaboration avec la famille Dorji. Ses responsabilités comprenaient, entre autres, l'éducation. Il participait par ailleurs activement au recrutement de professeurs dans le sud de l'Inde et veillait à assurer leur bien-être au Bhoutan malgré des conditions souvent difficiles. Le père Mackey et Dawa Tsering se vouaient mutuellement un grand respect. Leur collaboration au cours des ans pour le perfectionnement du système scolaire et la construction d'une école au Bhoutan oriental fut très fructueuse.

Avant l'arrivée du jésuite, la politique du Bhoutan en matière d'éducation en était à ses tous débuts. Lors de sa tournée du Bhoutan oriental, en 1963, le père Mackey avait constaté que toutes les écoles fonctionnaient séparément et n'avaient pas de programme commun. Lorsqu'il discuta de ce problème avec Dawa Tsering, ce dernier lui demanda d'élaborer quelques solutions et de préparer un rapport. Au début du mois de décembre 1964, à la fin de l'année scolaire, le père Mackey se rendit à Thimphu pour faire état de ses réflexions. Il demeura une semaine chez Dawa Tsering, pendant laquelle ils jetèrent sur papier l'ébauche de la première politique du pays en matière d'éducation. Plus tard, à la suite de recommandations d'administrateurs indiens et de jésuites, les deux hommes apportèrent quelques modifications au document original. Cette nouvelle version fut à son tour améliorée par des fonctionnaires du gouvernement. La version finale du document était passablement volumineuse et comprenait un historique, la planification, des objectifs et de nombreux renseignements. Toutefois, selon le père Mackey, l'essentiel du document respectait le schéma principal des versions antérieures.

Au Bhoutan, les professeurs indiens recevaient souvent leur salaire avec deux ou trois mois de retard. Il ne s'agissait cependant pas d'un problème très grave car, de toute façon, ils n'avaient aucun endroit où dépenser leur argent. Le dzong de Tashigang était le centre de paiement pour toutes les écoles de l'intérieur du Bhoutan oriental, et des représentants de Tashi Yantse, de Lhuntse, de Mongar, de Pemagatshel, de Radi et de Bidung devaient se présenter tous les mois pour prendre possession de l'argent. Même pour les écoles les plus rapprochées, ce périple à pied pouvait durer deux jours. Pour celles plus éloignées, cela pouvait facilement prendre plus d'une semaine. Il leur fallait en outre souvent attendre à Tashigang. L'arrivée des fonds en provenance de Paro ou de Thimphu était quelquefois retardée par les conditions de route, la température ou des erreurs administratives. Si le dzong ne recevait pas les sommes, les représentants devaient alors quitter Tashigang les mains vides et revenir plus tard.

Les représentants étaient en général les directeur d'école, et leurs absences répétées entraînaient des inconvénients pour les professeurs, qui devaient les remplacer à tour de rôle. Et le mécontentement devenait général lorsque les directeurs ne revenaient pas avec les salaires. Le père Mackey avait agi, à quelques reprises, comme responsable de la paye et il avait pu constater l'énorme perte de temps que ces voyages occasionnaient. Il se rendit chez Ten Dorje pour régler le problème. «La situation n'a aucun sens, dit-il. Il faut nommer une personne qui irait porter les salaires». Ten Dorje acquiesça et nomma pour le poste un homme en qui il avait toute confiance.

Si tout allait bien, cet homme pouvait faire la tournée des écoles en six semaines. Il quittait le dzong de Tashigang avec un sac rempli d'argent, visitait toutes les écoles, puis revenait au dzong tout juste à temps pour ramasser un autre sac et reprendre la route. Néanmoins, le système fonctionnait bien. Le messager réussissait toujours à rejoindre les écoles, sauf peut-être au temps de la mousson, alors que les rivières sont souvent trop gonflées pour permettre le passage. Quelques années plus tard, les dzongs les plus importants déléguèrent des responsables régionaux qui s'occupaient de payer les professeurs. Le père Mackey fut donc déchargé de cette tâche. De nos jours, depuis la construction des bureaux de poste, les professeurs reçoivent leur salaire sous forme de mandat.

Le gouvernement offrait aux étudiants pensionnaires les rations de nourriture dont ils avaient besoin : riz, sel et dhal. Le dhal est la légumineuse, ou lentille, qui sert à cuisiner le plat épicé indien du même nom. Il ne s'agit pas d'un mets traditionnel du Bhoutan, mais comme il est très nutritif les étudiants l'acceptaient volontiers. Le piment fort, frais ou déshydraté, est l'ingrédient le plus courant dans la cuisine bhoutanaise traditionnelle. De nombreux pensionnaires conservaient une réserve de piments, et les parents qui les visitaient en apportaient souvent avec eux. En plus des rations du gouvernement, chaque étudiant devait fournir quinze kilogrammes de nourriture à tous les mois, que ce soit du maïs, du riz, des pommes de terre ou des radis blancs (*tegma*). Les autorités ne pouvaient toutefois compter sur cet apport lorsque les récoltes étaient mauvaises.

Lorsque William Mackey commença à travailler à l'école de Tashigang, l'armée s'occupait de livrer les rations du gouvernement. Ces livraisons accusaient parfois du retard et, quand les provisions commençaient à baisser dangereusement, le jésuite envoyait un radiogramme disant : «Plus de vivres, nous fermons l'école.» Ce message

restait souvent sans réponse. Il envoyait alors un autre radiogramme :
«Plus de vivres. Nous fermons l'école dans deux jours.» La réponse ne
se faisait pas attendre : «Ne fermez pas. Les rations sont en route.» La
nourriture arrivait toujours quelques jours plus tard.

Le gouvernement modifia par la suite le système d'approvisionnement. Le père Mackey recevait 10 roupies (deux dollars) par mois
pour chaque étudiant et devait acheter lui-même les marchandises.
Comme les étudiants apportaient avec eux des denrées, le jésuite utilisait l'argent pour acheter ce qui pouvait venir à manquer, comme le
riz, ou ce qui n'était pas cultivé localement (thé, huile, dhal, sel, sucre). Deux dollars peuvent sembler très peu aujourd'hui, mais à
l'époque cette somme était en général suffisante pour acheter au dzong
tout ce dont l'école avait besoin. À l'occasion, William Mackey devait se rendre à Samdrupjongkar, dans un magasin général, pour acheter des marchandises introuvables à Tashigang.

Tant que la route s'arrêtait à Rongtong, il fallait utiliser des
moyens ingénieux pour acheminer les marchandises à Tashigang. Le
moyen le plus facile consistait à envoyer tous les étudiants à Rongtong.
Deux ou trois cents enfants (leur nombre augmentait à chaque année)
pouvaient facilement ramener les marchandises divisées en petits sacs.
La marche durait environ quatre ou cinq heures, mais l'opération to-
tale prenait toute la journée. Ce moyen de transport entraînait une perte
d'environ 10 pour cent de la marchandise, parce que les garçons s'ap-
propriaient quelques poignées de riz qu'ils glissaient dans leurs
vêtements sans être vus. Ce «salaire» revenait tout de même passablement moins cher que d'engager des porteurs.

Les écoles n'organisaient pas de compétitions sportives avant
l'arrivée du père Mackey. Cela ne veut toutefois pas dire que les sports
n'existaient pas au Bhoutan. Dans ce pays, le sport national est le tir à
l'arc. Les Bhoutanais sont passés maîtres dans leur version traditionnelle de cette activité, qu'ils pratiquent avec des arcs et des flèches
rudimentaires faits en bambou. Leur précision est souvent remarquable. Sur un terrain de plus de 130 mètres, ils peuvent toucher une cible
faisant tout juste un mètre sur 30 centimètres.

Le *dego* est un autre sport traditionnel très pratiqué au Bhoutan.
Il s'agit de lancer une pierre du revers de la main tout en essayant de
déplacer les pierres des adversaires. Le père Mackey trouvait que ce
sport ressemblait beaucoup au curling. Les élèves de Tashigang, tout

comme les adultes, pratiquaient ce sport. Les moines, tout particulièrement, aimaient beaucoup s'adonner à cette activité puisque le tir à l'arc leur était interdit. Chez les enfants, le jeu traditionnel le plus populaire était le *kuru*, que l'on pratique à l'extérieur avec de longues fléchettes mesurant environ 30 centimètres. Le but du jeu est de lancer les fléchettes sur une cible placée à une vingtaine de mètres.

À l'école, le père Mackey fit connaître le football (soccer) et le volley-ball à ses étudiants. Le terrain d'exercice des militaires servait de surface de jeu. Au cours des ans, les garçons travaillèrent à agrandir le terrain, grugeant dans la montagne d'un coté et faisant du remplissage de l'autre. Ce lieu servait également pour la gymnastique qui était la grande passion du jésuite. Au début, l'école ne possédait aucun appareil de gymnastique, et le jésuite devait utiliser les moyens du bord. Par exemple, on utilisait un épais «tapis» fait de *gos* pour les exercices au sol. Plus tard, il utilisa les dons en argent venant du Canada pour faire construire un cheval d'arçons à Samdrupjongkar. Il acheta également quelques tapis et conçut lui-même les plans pour un tremplin.

Les garçons adoraient la gymnastique, et les prestations lors de compétitions sportives attiraient toujours de nombreux spectateurs. Le père Mackey possédait un bon sens du spectacle. Il inventait toujours des compétitions qui savaient amuser les spectateurs : courses à relais, pyramides, courses de chariots, etc. Mais l'événement le plus spectaculaire et le plus apprécié était le plongeon et la culbute des gymnastes par-dessus le cheval, suivis d'un passage à travers des anneaux de feu.

Pendant l'une de ces rencontres sportives, l'invité d'honneur n'était nul autre que le demi-frère du roi, Son Altesse Royale Namgyal Wangchuk. Lors de la compétition de saut, un garçon nommé Tarpola prit son élan pour effectuer son saut périlleux mais, lors de la réception, il trébucha dans les *gos* qui servaient de matelas et, plutôt que d'atterrir sur ses pieds, il fit un vol plané pour finalement s'écraser lourdement sur le terrain accidenté. Il ne perdit pas conscience, mais on dut le transporter à l'hôpital. Son Altesse Royale s'inquiétait sur l'état de santé du garçon et il le visita le lendemain à l'hôpital. Il offrit au garçon un nouveau *go* ainsi que 150 roupies (une bonne somme à l'époque). Le jeune étudiant était très heureux du cadeau, mais les autres gymnastes furent un peu jaloux. «Si on avait su que Son Altesse royale réagirait ainsi, dirent-ils, nous aussi on aurait atterri sur le nez.»

Le frère Michael Quinn était le bras droit du père Mackey au cours de ses premières années au Bhoutan. Il mesurait près de deux mètres et était un ancien membre de la Gendarmerie royale du Canada. Il avait travaillé précédemment avec les Inuits dans le Nord canadien, et cette expérience dans les régions reculées lui avait permis d'obtenir le poste au Bhoutan. Il avait aussi toutes les qualifications requises. Il était un bon professeur, savait s'occuper des enfants et possédait une certaine expertise médicale.

Le frère Quinn, un homme discret, acceptait avec joie son rôle de subalterne du père jésuite. Il possédait lui aussi un bon sens de l'humour, qu'il exprimait d'une façon un peu plus calme que le père Mackey. Pour ce qui était du divertissement, ses spécialités étaient les concerts et les pièces de théâtre. Tous les ans, il montait une pièce de Shakespeare adaptée en un anglais facile, à laquelle les enfants aimaient beaucoup participer. Mais une pièce comique du frère Quinn mit un jour le père Mackey dans l'embarras. Les étudiants jouaient un extrait tiré de la pièce *Three Men in a Boat* de Jerome K. Jerome. Au Canada, cet extrait porte le titre de «Oncle Podger accroche un tableau» et raconte les mésaventures d'un aïeul aux prises avec des difficultés d'ordre décoratif. Dans la traduction en sharchopkha, le père Mackey jugea opportun de changer le nom du vieil oncle empoté pour y substituer celui de Phongmey Dungpa. Pour les étudiants, ce changement était tout à fait approprié, et Phongmey Dungpa lui-même trouva le tout très amusant lorsqu'il assista à une répétition de la pièce. Toutefois, la femme de Phongmey ne vit pas la chose du même oeil. Outrée de cet affront fait à son mari, elle alla voir le père Mackey pour lui faire part de son désarroi et lui demanda : «Comment pouvez-vous faire un tel affront à mon mari?».

William Mackey essaya de la calmer. «Vous vous trompez, Ama, dit-il. Nous aimons beaucoup Dungpa.» Mais elle ne changea pas d'opinion, et le jésuite décida de modifier le nom du personnage principal. Il choisit, en remplacement, le nom du *thrimpon* en poste à l'époque, Dasho Tsering, pour bien montrer qu'il ne cherchait pas à ridiculiser qui que ce soit. Personne n'oserait se moquer d'un homme si important. Le titre de la pièce devint donc «*Dasho Tsering accroche un tableau*». Les étudiants avaient cependant toujours utilisé «Phongmey

Dungpa» pendant les répétitions et, lors de la première, les premiers mots entendus par les spectateurs furent «Phongmey Dungpa accroche un tableau».

En plus des pièces de théâtre, le père Mackey faisait également des adaptations de chansons anglaises, souvent très drôles, qui ne respectaient pas toujours l'idée originale du texte. Ces efforts permirent aux étudiants de l'école de Tashigang de faire des progrès remarquables en anglais. Cette langue n'était parlée qu'à l'école, et peu de personnes l'utilisaient dans la communauté. Au début, le père Mackey et le frère Quinn n'avaient rien à leur disposition et ils devaient déployer de grands efforts pour mettre la main sur des manuels d'anglais. Après avoir enseigné aux écoliers les rudiments de la langue, ils avaient stimulé chez eux le goût de la lecture et de l'écriture. Ce désir d'écrire des étudiants, combiné à une connaissance limitée du monde extérieur, donnaient souvent des résultats surprenants.

Lorsque la route rejoignit finalement Tashigang, en 1965, tout le monde se rendit à Khiri pour assister à la cérémonie soulignant l'ouverture de la nouvelle voie de communication. Un garçon nommé Tenzingla, qui obtiendra plus tard un diplôme de maîtrise et un poste dans la fonction publique, se rendit à l'inauguration en compagnie du père Mackey. Ils marchaient tous les deux sur la route lorsque le premier véhicule des officiels, une automobile tout terrain, fit son apparition devant eux. Tenzingla, qui n'avait jamais vu d'automobile, fut très surpris par cet étrange invention. Après la cérémonie, le frère Quinn demanda aux étudiants d'écrire une composition sur ce qu'ils venaient de voir. Tenzingla décrivit ainsi la scène : «Je marchais sur la route. Elle ressemblait à un terrain de football. Mais elle était plus mince, et aussi très plate. Puis j'ai entendu un bruit. J'ai regardé vers le haut. Un étrange animal se dirigeait vers moi, avec deux gros yeux qui brillaient dans le soleil. Et de la fumée sortait de sa queue. J'avais peur et j'ai couru vers la montagne. J'ai glissé, roulé un peu et fermé les yeux. Je pensais que la bête allait me mordre ou me piétiner. Alors, le ventre de la bête s'est ouvert et un homme est sorti. Je n'en croyais pas mes yeux. Je me suis approché et j'ai regardé à l'intérieur. C'était une belle chambre avec des bancs. À l'avant, il y avait une plus petite chambre avec une roue et une drôle d'horloge. Je suis allé à l'avant et je l'ai touchée de la main à l'avant. Jamais un poney ne pourrait avoir un museau aussi chaud...»

Les connaissances médicales du père Mackey se résumaient à peu de choses. Il ne connaissait rien non plus de la médecine locale. Il conservait un petit pot de «médicament noir», ramené de Darjiling, qu'il utilisait pour guérir toutes sortes d'infections. Il s'agissait probablement de belladone, qui était très utilisée en Inde. Plus tard, il rencontrerait sur son chemin un autre médicament noir : l'opium.

Malgré sa mauvaise réputation, l'opium est un médicament ancestral utilisé fréquemment dans les régions rurales du sous-continent indien. En général, on le prenait sous forme de thé pour des raisons médicinales. Jamais on n'aurait pensé à le fumer dans une pièce sombre jusqu'à ce que mort s'ensuive. De même, la marijuana poussait à l'état sauvage un peu partout au Bhoutan, mais on ne l'utilisait jamais comme drogue récréative. On s'en servait pour nourrir les cochons. Cela rendait les porcs heureux, léthargiques, et favorisait le développement d'une épaisse couche de graisse dont les Bhoutanais se régalaient.

Lorsqu'il y avait un problème de santé à l'école, on faisait appel aux connaissances du frère Quinn. Bien qu'il fût costaud, il savait s'y prendre en cette matière, particulièrement quand un étudiant se demandait s'il devait faire confiance à la médecine occidentale ou à la médecine traditionnelle. Le frère Quinn et le docteur Anayat respectaient la tradition des lamas et essayaient de l'intégrer à leur pratique plutôt que de s'y opposer. Il arrivait toutefois que des conflits apparaissent, mais le frère Quinn réussissait en général à convaincre l'étudiant de suivre ses directives.

Un jour cependant, un chien enragé mordit plusieurs enfants, et le père de l'un d'entre eux refusa que l'on administre à son fils le vaccin approprié. On se contenta de lui donner des médicaments traditionnels tout en récitant quelques prières. Le garçon lui-même refusait de recevoir l'injection. Finalement, un des enfants qui avaient reçu le vaccin mourut tandis que celui qu'on avait soigné de façon traditionnelle réussit à guérir.

Depuis des siècles, le Bhoutan est reconnu dans tout l'Himalaya pour la variété de ses plantes médicinales. Le frère Quinn et le docteur Anayat étudièrent ces plantes, ainsi que les traitements, et tentèrent par la suite de déterminer les problèmes de santé qui pouvaient être soignés par cette médecine et ceux pour lesquels on devait recourir à la médecine occidentale. Ils répertorièrent bon nombre de ces médicaments et, avec ouverture d'esprit, s'en servaient dans certaines situations. Par exemple, la diarrhée ordinaire était traitée généralement avec des médicaments traditionnels, tandis qu'on utilisait la pénicilline pour les cas évidents d'infections bactériennes. Leur approche semblait la bonne, car les problèmes de santé étaient assez rares à l'école.

Le docteur Anayat faisait également appel à un lama pour l'assister lorsqu'il prodiguait des traitements sérieux. Il s'était rendu compte que la présence d'un lama et sa bénédiction apportaient au patient une certaine tranquillité d'esprit favorisant la guérison.

Un troisième jésuite arriva à Tashigang au mois de juillet 1965. Il s'agissait du père John (Jack) Coffey. C'était un homme de taille moyenne à la figure ronde enjouée et qui était plus petit que le frère Quinn et le père Mackey. Et comme ce dernier, il avait une personnalité fort démonstrative. Il se joignit à ses confrères et s'installa dans une chambre de la maisonnette où ils habitaient tout près de l'école. Dans chacune des chambres, il y avait un espace réservé à un usage commun. Dans la chambre du père Mackey, il y avait une petite chapelle. Dans celle du frère Quinn, on retrouvait les médicaments et les manuels scolaires. Finalement, la chambre du père Coffey servait à conserver la nourriture.

Les trois jésuites s'étaient aussi réparti le travail sur le plan professionnel. Le père Coffey enseignait l'anglais et préparait les programmes, le frère Quinn donnait les cours de géographie et d'histoire alors que le père Mackey s'occupait des mathématiques, des sciences, de l'éducation physique et des relations avec le dzong. Il était aussi le supérieur *de facto* de l'école, bien qu'on ne l'appelait jamais par ce titre.

Les trois hommes allaient prendre leurs repas chez le docteur Anayat, poursuivant ainsi la tradition instaurée par le père Mackey. Malgré leur frugalité, ils appréciaient ces repas, préparés le plus souvent par Lingshay. Bien sûr, il leur arrivait de se plaindre à l'occasion, toujours en riant, du manque de variété au menu. Ils riaient de bon coeur lorsqu'ils en discutaient entre eux : pommes de terre, dhal et riz le midi; riz, dhal et pommes de terre le soir. Ils mangeaient très rarement de la viande, car la plupart du temps, la qualité du produit laissait beaucoup trop à désirer.

Le père Coffey s'intéressait beaucoup plus au problème de la nourriture que ses deux collègues. Un an après son arrivée, à son initiative, les trois jésuites construisirent une cuisinette derrière leur résidence. Ils engagèrent également un vieux Népalais d'origine sherpa nommé Kripa pour leur servir de cuisinier. Le père Coffey lui enseigna les notions de base de l'art culinaire et comment préparer des plats avec des ingrédients autres que le riz et le dhal. Kripa recevait un salaire mensuel et demeura à l'emploi du père Mackey pendant douze ans.

Pour améliorer leur alimentation, le père Coffey décida également de faire un petit jardin, qui fournirait des légumes frais durant tout l'été. Pour sa part, le frère Quinn se mit à cuire son propre pain. Il construisit un four fait de pierres et de boue près du jardin et utilisait des moules à pain qu'il s'était procurés à Samdrupjongkar. Son pain était très populaire dans la petite communauté. Le docteur Anayat, les gens à l'hôpital et les autres professeurs attendaient tous avec impatience quand ils voyaient que du pain cuisait au four. Il arrivait souvent que le généreux frère Quinn se fasse littéralement dévaliser.

À cette époque, le père Mackey avait considérablement augmenté ses relations sociales. Pour se divertir, il jouait souvent aux cartes avec ses amis. Le bridge était le jeu qu'il affectionnait particulièrement et, durant les froides soirées d'hiver, ils formaient un quatuor avec d'autres joueurs presque tous les soirs.

Tout comme ses deux confrères, le père Mackey aimait beaucoup la lecture. Les sujets qu'il affectionnait étaient très variés, allant de la philosophie des religions aux récits historiques, en passant par les romans policiers. Au cours des ans, le jésuite développa toutefois un intérêt particulier pour l'étude du bouddhisme tibétain. Il lisait tous les livres qu'il pouvait trouver sur ce sujet. Il monta même une petite bibliothèque dédiée uniquement à l'étude de cette religion et organisa des rencontres à l'école avec des *lopens*. Au moins une fois par mois, il visitait un de ces professeurs bouddhistes pour discuter de religion.

Toutefois, le temps que William Mackey pouvait accorder à ses loisirs était très limité. Pendant l'année scolaire, sa charge de cours dépassait 35 heures par semaine. Il devait en plus diriger l'école, superviser les études, organiser des rencontres sportives et des concerts, et vaquer à toutes ses autres occupations.

Pendant de nombreuses années, le père Mackey fut aussi le responsable administratif et le conseiller pédagogique de l'école. Il donnait des cours aux professeurs et s'occupait de l'éducation dans tout le Bhoutan oriental. Il travailla également à l'implantation de la nouvelle école à Kanglung, tout en mettant sur pied le nouveau programme d'études secondaires. Non seulement il ajoutait chaque année au programme une classe supplémentaire de niveau supérieur, mais il introduisait aussi au Bhoutan un nouveau concept en éducation, qui était différent de celui que l'on retrouvait en Inde. Toutes ces occupations prenaient beaucoup de son temps et de son énergie. Il se réservait toutefois le dimanche pour lire ou encore effectuer une longue promenade.

Durant son séjour à Tashigang, William Mackey passa ne nombreuses soirées en compagnie du docteur Anayat et de sa femme, pour prendre les repas, converser ou jouer aux cartes. Un certain soir, le docteur accueillit le père Mackey et le frère Quinn avec excitation. «Venez voir mes petits tigres», leur dit-il. À l'intérieur, le docteur Anayat exhiba fièrement deux bébés félins d'un jaune grisâtre, qui ne mesuraient pas plus de trente centimètres. Un villageois les avait trouvés sur une piste pas très loin et les avait emmenés chez le docteur, toujours preneur pour ce genre de choses. Le paysan voulait 20 roupies pour chacun des tigres, et Anayat accepta même s'il trouvait la somme un peu élevée.

Les trois hommes jouèrent un certain temps avec les jeunes animaux jusqu'à ce que le père Mackey commence à poser des questions. «Où les a-t-on trouvés», demanda-t-il? «Pas très loin, près de la rivière», répondit le docteur. «Savez-vous ce qui est advenu de la mère?» Juste à ce moment, un fort grognement se fit entendre. Les amis se regardèrent puis jetèrent un coup d'oeil à l'extérieur, mais sans rien apercevoir. Lingshay ne semblait pas s'en faire et commença à allaiter sa petite fille. Les petits tigres, attirés par l'odeur du lait frais, s'agitèrent fébrilement. Ils avaient faim! La situation cocasse détendit l'atmosphère et tout le monde se mit à rire. Toutefois, les trois hommes pouvaient toujours entendre le grognement de la mère dehors. Elle avait probablement retracé la piste de ses petits et savait qu'ils se trouvaient dans la maison. L'heure du dîner avait sonné. La cuisine des Anayat se trouvait à environ 20 mètres de la maison et le cuisinier venait de les aviser que le repas était prêt. Les trois hommes se rendirent à la porte et se mirent à crier : «Prépare le tout, nous arrivons. Si tu vois quelque chose d'anormal, tu nous avertis».

Après ce repas pour le moins excitant, les deux jésuites se demandaient comment retourner à l'école avec un tigre qui rôdait dans les parages. Pendant ce temps, le docteur Anayat commençait à remettre en question la sagesse de conserver deux bêtes sauvages dans sa maison. Il fit venir un villageois à la maison et, après un court échange, l'homme repartit avec les tigres. Le père Mackey et le frère Quinn se décidèrent finalement à réintégrer leur domicile. Ils saluèrent leurs hôtes et partirent en courant. À peine étaient-ils arrivés sain et sauf à leur logis, qu'ils entendirent frapper à la porte. C'était le villageois à qui le docteur avait refilé les tigres. Il tendit les bêtes fauves vers le père Mackey. «Je ne veux pas de ces choses, dit le jésuite. C'est à vous de les garder.»

«Non, non, non, non»£ répondit l'homme.

Le frère Quinn mit les tigres dans la remise de l'école pour la nuit. Le lendemain matin, ils n'avaient toujours pas trouvé de solution au problème. «Il faut les laisser à l'extérieur. Peut-être la mère viendra-t-elle les récupérer», décida le père Mackey. Cette solution semblait la bonne. On sortit les animaux et on chargea quelqu'un de les surveiller à bonne distance. Selon ce qu'on a su par la suite, la mère serait venue et aurait longuement reniflé ses petits. Puis, décidant qu'ils étaient trop souillés de l'odeur des humains, elle les aurait abandonnés. Le docteur Anayat accepta de reprendre les bêtes avec lui puisque la mère, selon toutes apparences, ne représentait plus un danger. En peu de temps, les petits devinrent de solides félins, et les inquiétudes du docteur refirent surface. Il trouva finalement un père adoptif en la personne de T.V. Jaganathan, l'ingénieur en chef de la Dantak qui s'exclama en voyant les bêtes : «Mais ce ne sont même pas des tigres, ce sont des léopards!».

De temps à autre, William Mackey aimait bien participer aux épreuves de tir à l'arc. La compétition était féroce entre les participants, mais le tout se déroulait toujours dans la bonne humeur. Ces rencontres pouvaient durer toute la journée et même, à l'occasion, plus longtemps. Tous les trucs étaient bons pour déranger l'adversaire. Les participants raillaient souvent ceux de l'autre équipe, et on faisait même danser des jeunes filles pour troubler la concentration des adversaires. Certains faisaient même appel aux divinités pour obtenir de l'aide, et les bons coups étaient salués avec des pas de danse rituels.

Au début, le père Mackey acceptait difficilement la façon cavalière dont se déroulait la compétition. Lorsqu'une équipe finissait ses tirs, les archers couraient vers la cible et criaient de joie pour célébrer les bons tirs. Pour distraire leurs adversaires, ils demeuraient près de la cible et dansaient alors que les flèches passaient tout près d'eux. Ils ne se déplaçaient qu'à la toute dernière minute. Malgré le danger inhérent à une telle pratique, le père Mackey n'a vu au cours des ans qu'une demi-douzaine de personnes se faire toucher par une flèche, et jamais il ne s'agissait de blessures sérieuses. Les garçons faisaient preuve d'une réelle habileté à ce jeu. Ils dansaient, sautaient devant la cible, puis plongeaient de coté au moment où passait la flèche. Certaines fois, ils ne faisaient que tourner la tête. Toutefois, lorsque les compétitions avaient lieu à l'école, le jésuite faisait bien attention que les garçons se tiennent à bonne distance des cibles.

Il n'était pas facile de trouver dans la région un endroit propice au tir à l'arc. Un terrain normal devait mesurer environ 130 mètres. On utilisait à l'occasion le terrain de football de l'école sur une ligne diagonale. Mais il arrivait aussi que l'on utilise des sites traversés par une rivière ou un ravin. Les participants devaient donc s'ajuster à différents types d'environnement.

Pendant une compétition de tir à l'arc, tout comme lors de toutes autres rencontres sociales au Bhoutan oriental, l'un des plus grands dangers qui guette les participants est la consommation d'*ara*. L'*ara* est une boisson alcoolisée, fabriquée localement, à partir de céréales fermentées. On se sert souvent du mot «vin» pour le désigner. L'*ara* ordinaire n'est pas une boisson très forte, et son goût n'est pas très prononcé. Si l'on ne fait pas attention toutefois, quelques tasses peuvent émécher le buveur imprudent.

L'*ara* est un alcool très populaire au Bhoutan oriental, et un visiteur peut s'en voir offrir à toute heure du jour ou de la nuit. Après avoir accepté de boire à un endroit, il est très difficile par la suite de refuser une invitation dans une autre maison, car l'hôte pourrait en être vexé. Il faut donc une stratégie si l'on veut survivre à une telle situation. Une première solution consiste pour le visiteur à refuser tous les verres qu'on lui sert en prétextant, par exemple, un malaise. Une deuxième est de boire avec modération en traînant toujours son propre verre et en buvant le moins possible, jusqu'à ce que, selon la coutume, les trois services aient été faits. Et la troisième, finalement, est d'abandonner toute forme de résistance et d'accepter tout ce qu'on lui offre. Mais, dans ce dernier cas, la tournée des visites peut se terminer abruptement.

Le père Mackey tolérait assez bien l'alcool. Il pouvait absorber deux bons verres d'alcool sans trop en ressentir les effets. Au-delà de ces deux verres, cependant, il risquait d'éprouver certains problèmes. Mais il avait appris sa leçon. Jamais il ne buvait son *ara* rapidement, car un verre vide était rempli sur-le-champ par un serveur empressé. Il avait aussi la réputation de «jeter son *ara* par la fenêtre» à l'insu de tous quand la situation devenait dangereuse.

Une compétition de tir à l'arc représentait toujours une bonne occasion de boire et de fêter chez les Bhoutanais. Et les gens de la campagne aimaient bien que leurs invités soient heureux dans de telles occasions. C'est pourquoi, dès que l'occasion se présentait, ils remplissaient les verres. Lors de ces événements, le père Mackey transportait dans son *go* un petit *gorbu* de bois qui, une fois rempli, contenait très peu d'alcool. Comme les compétitions se tenaient à l'extérieur, et que tous se déplaçaient continuellement à gauche et à droite, il pouvait facilement se débarrasser de plus d'alcool qu'il n'en buvait.

Chapitre 6

WILLIAM MACKEY RÉUSSIT DIFFICILEMENT À SE HISSER SUR LE DOS DE L'ÉLÉPHANT. Il saisit la corde qui ceinturait l'animal et s'installa comme il le pouvait sur la couverture matelassée. On lui avait conseillé de ne pas s'asseoir sur le dos de l'éléphant, mais plutôt de s'accroupir pour augmenter la stabilité. On lui tendit son petit sac de voyage, qu'il mit entre ses jambes, et le lourd animal se leva pour entamer sa marche. Le pauvre jésuite se faisait balancer rudement. Alors qu'ils approchaient de la rivière, le père Mackey regarda l'eau boueuse qui les entourait avec beaucoup d'inquiétude.

Cette rivière, située près de Samdrupjongkar, à 180 kilomètres au sud de Tashigang, faisait environ 30 mètres de large. Il n'y avait pas de pont, mais les jeeps et les camions pouvaient la traverser la majorité du temps en raison de sa faible profondeur. Durant la mousson toutefois, son débit augmentait, et elle devenait impossible à franchir. Sur l'autre rive, il y avait presque toujours un véhicule qui attendait pour emmener les voyageurs. Mais il fallait d'abord traverser la rivière. Et si elle était trop profonde pour un jeep ou un camion, il ne restait qu'une solution : l'éléphant. Une importante famille bhoutanaise en avait plusieurs à sa disposition pour l'exploitation forestière, mais on les offrait aussi aux voyageurs lorsque la rivière devenait autrement infranchissable.

L'idée de monter sur un éléphant pour franchir une rivière peut sembler à première vue une expérience exotique et amusante. Mais, en réalité, c'était plutôt terrifiant. Quatre passagers pouvaient prendre place sur le dos de l'animal, mais il n'y avait rien de solide pour s'agripper. Ils étaient assis directement sur l'animal. Fort heureusement toutefois, on avait assigné un cornac pour la conduite. Après plusieurs voyages, William Mackey apprit à faire confiance à l'éléphant. Il arrivait de temps à autre qu'au milieu de la rivière un gros tronc d'arbre fonce droit vers eux. L'animal semblait inconscient du danger, mais tout juste avant l'impact il saisissait le tronc et le balançait de l'autre coté. Le père Mackey fit une demi-douzaine de passages ainsi avant que l'on ne se décide à construire un pont.

Le propriétaire des éléphants s'appelait J.P. Pradham et il était commissaire pour la région du sud-est du Bhoutan. Un de ses fils fréquentait l'école de Gauhati dans l'État d'Assam en Inde, la région qui borde le Bhoutan au sud de Samdrup Jonkhar. Il s'appelait Janga et, comme il éprouvait de nombreuses difficultés à l'école, il avait déjà été expulsé de plusieurs écoles à Darjiling. À Gauhati, malheureusement, il passait le plus clair de son temps dans les salles de cinéma plutôt que de suivre ses cours. Le frère aîné de Janga, Om Pradham, travaillait dans la fonction publique, où l'on considérait qu'il avait un brillant avenir.

Un jour, Om Pradham arriva à Tashigang en compagnie de son jeune frère pour voir le père Mackey. «Nous désirons que Janga devienne un de vos élèves », dit-il. «Il n'y a pas de salles de cinéma ici, répondit le jésuite. Il n'y a donc pas de danger de ce coté. Pas d'école buissonnière non plus: il n'y a aucun endroit où aller.» Un homme accompagnait les deux frères. Om Pradham le présenta à William Mackey comme le cuisinier personnel de Janga. Le jésuite leur fit comprendre qu'il ne pouvait rester à Tashigang. «Si Janga vient étudier ici, il mangera les mêmes repas que les autres élèves.» Le lendemain, Om Pradham quittait la ville en compagnie du cuisinier.

À l'école de Tashigang, il y avait cours le samedi matin. Et, après le repas du midi, tous les étudiants devaient aller chercher du bois pour la cuisine de l'école. Le père Mackey fit venir Janga à son bureau et il lui dit : «Tu vois la jungle là-bas. Prends une corde et un *chowang* (grand couteau). Tu y montes avec un garçon qui connaît le chemin et tu nous ramènes une bonne quantité de bois.»

William Mackey continua à travailler quelque temps dans son bureau avant d'aller chez le docteur Anayat pour y prendre son déjeuner. Durant le trajet, il fut surpris de voir Janga en route vers l'école avec un chargement de bois sur le dos. «Voilà un travail bien rapide», se dit-il. Après son repas, il alla voir le cuisinier et lui demanda où Janga avait trouvé son bois. «Mon Père, ce garçon est une pomme pourrie, répondit celui-ci. Il est venu ici, il a pris du bois dans la pile et il a fait le tour du terrain de football avant de ramener le bois. Ensuite il a disparu.»

Le père Mackey convoqua Janga encore une fois à son bureau. «Tu pouvais peut-être faire des choses comme ça à Gauhati... ou ailleurs, dit-il. Mais pas ici. Allonge-toi sur le lit». Le jésuite sortit une longue baguette de bambou, souleva *le go* du garçon et le frappa à quatre ou cinq reprises sur le derrière. Janga était très secoué. Jamais il n'avait été puni ainsi. «Ne fais plus jamais une chose comme ça, conclut le jésuite. Sors maintenant.»

Pendant un certain temps, il sembla que Janga avait appris sa leçon. Mais quelques semaines plus tard, Michael Quinn découvrit avec stupéfaction que les poules avaient cessé de pondre. Le pauvre jésuite, médusé, ne comprenait rien à ce phénomène étrange. Un jour, alors qu'il donnait une classe, le frère Quinn se rendit compte qu'il avait oublié quelque chose dans sa chambre et dit à ses étudiants de poursuivre les exercices durant son absence. Pendant qu'il cherchait sur son pupitre, il entendit un bruit suspect en provenance du petit poulailler situé tout près, à l'extérieur. L'ancienne «Police montée» qu'il avait été se réveilla en lui, et il se précipita dehors juste à temps pour voir Janga sortir en douce du poulailler.

Le frère Quinn fouilla le *go* de l'écolier et en sortit quatre oeufs. Il avait résolu le mystère des poules qui ne pondaient plus. Pour sa part, le petit larron eut encore droit aux coups de baguette du père Mackey. Janga modifia son comportement par la suite, et devint un bon élève. Après avoir terminé ses cours, il émigra en Australie, où il demeure toujours et travaille avec des enfants handicapés.

En 1964, la route en provenance de Samdrupjongkar rejoignit finalement Khiri, situé à seulement à trois kilomètres de Tashigang. La route n'était cependant pas très fiable. Quatorze kilomètres plus loin près de Rongtong, des glissements de terrain l'obstruaient fréquemment.

En 1965, William Mackey acheta sa première jeep, qu'il remisait dans un hangar près de Rongtong. Le véhicule fut toutefois abîmé lors d'un malencontreux accident. L'équipe de la Dantak, qui construisait la route, effectuait du dynamitage pas très loin, et un gros bloc de pierre se détacha pour atterrir près du garage improvisé et ensuite rouler à l'intérieur par la porte avant. La roche démolit complètement le pare-brise de la jeep. Le jésuite demanda à la Dantak de lui rembourser les dommages causées par l'explosion, et on lui assura que le paiement ne tarderait pas. Six mois plus tard, la Dantak remplaça le pare-brise par du verre ordinaire.

Le père Mackey se servait surtout de son véhicule pour aller à Samdrupjongkar, près de la frontière avec l'Inde. L'état de la route était souvent très mauvais, surtout durant les moussons où elle devenait particulièrement glissante, provoquant de nombreux dérapages. On pouvait rencontrer de tout sur cette route : des rochers, des tas de boue ou de terre et même des crevasses causées par un affaissement de la chaussée. Lorsque le chemin était bloqué, les voyageurs devaient se débrouiller comme ils le pouvaient, ou encore attendre une équipe de la voirie. S'il s'agissait d'une crevasse importante, les réparations pouvaient durer des jours, voire des semaines, avant que la route ne soit praticable à nouveau.

Au moment où le père Mackey prit possession de sa jeep, la route était toute nouvelle et relativement instable. Des délais de plusieurs jours étaient courants. À cette époque, une jeep constituait un produit de luxe, et il n'y avait pas encore d'autocar en service au Bhoutan. Les gros camions de huit tonnes venant de l'Inde représentaient le moyen de transport le plus courant pour les personnes et les marchandises. Ils prenaient des passagers, mais l'espace dans la cabine était plutôt réduit. Plusieurs personnes devaient donc se hisser à l'arrière sur les marchandises pour faire le voyage.

Lorsqu'on partait de Tashigang en direction de Samdrupjongkar, les camions transportaient la plupart du temps des pommes de terre. Dans ce cas, le voyage était plutôt confortable. Les passagers pouvaient s'installer entre les sacs et trouver un certain de confort durant la douzaine d'heures que durait le trajet. Les camions roulaient lentement, à moins de 40 kilomètres à l'heure, sur cette route toujours sinueuse. Pour plus de sécurité, les voyageurs devaient agripper la corde qui ceinturait le chargement. Au retour, le chargement était souvent varié, et les passagers devaient trouver un endroit confortable et sécuritaire entre les barils de pétrole, les caisses, les récipients de plastique et autres objets. La cabine représentait un moyen beaucoup plus confortable de voyager, mais elle était souvent pleine à craquer.

En général, les professeurs effectuaient le voyage au début et à la fin de l'année scolaire, soit en février et en décembre. À ce temps de l'année, les risques de pluie sont assez faibles, mais le froid peut être difficile à supporter pour les passagers qui voyageaient à l'extérieur. Surtout après un certain temps. Un camion quittant Tashigang au petit matin n'arrivait pas à Samdrupjongkar avant la nuit. Le père Mackey, au volant de sa jeep, pouvait faire le même trajet en un peu plus rapidement.

Pour trouver un camion allant de Samdrupjongkar à Tashigang, un voyageur devait parfois patienter plusieurs jours. Il ne fallait pas oublier de prendre des vêtements chauds pour ce trajet dans les montagnes. La température pouvait être agréable près de la frontière indienne, mais une fois que l'on commençait l'ascension vers le centre du Bhoutan, où l'altitude atteignait 2800 mètres, l'air de la montagne était généralement frais ou même glacial. Heureusement, cette ascension, qui auparavant pouvait prendre jusqu'à une semaine, ne prenait plus que deux jours en camion.

Au début des années 60, la plupart des habitants du Bhoutan oriental n'avaient encore jamais vu d'automobile. Par contre, ils connaissaient bien les avions. À toutes les semaines, un Dakota passait au-dessus de Tashigang pour apporter des marchandises à la ville de Tawang dans l'Arunachal Pradesh en Inde. L'avion suivait la principale série de vallées en partant de Samdrupjongkar, survolait Tashigang, puis se dirigeait vers l'est. Quelqu'un avait raconté à William Mackey que le pilote comptait les vallées et, après la cinquième, il orientait son vol vers l'est.

Un jour, alors que le temps était nuageux, un pilote inexpérimenté commit une erreur dans ses «calculs» et prit la mauvaise route. Il n'arriva jamais à destination et les autorités locales pensaient qu'il s'était écrasé. Ils commencèrent leurs recherches au nord de Tashigang, croyant qu'il avait raté la vallée et poursuivi sa route en ligne droite. De nombreux hélicoptères et avions firent des vols de reconnaissance dans cette région et survolèrent les épaisses forêts dans les vallées, mais ils ne trouvèrent aucune trace de l'avion.

Le père Mackey décida de poursuivre les cours comme à l'habitude malgré l'excitation engendrée par cet événement fâcheux. Un certain après-midi, le jésuite entendit le bruit devenu familier d'un hélicoptère qui se rapprochait de l'école et, quelques minutes plus tard, il vit par la fenêtre un Alouette de fabrication française passer tout près de l'école. L'hélicoptère atterrit sur le terrain de football, et le père Mackey alla voir ce qui se passait. Il gravit la petite colline menant au terrain et put voir le pilote entouré par plusieurs soldats bhoutanais. Le père Mackey s'approcha pour entendre ce qui se disait, mais il se rendit compte que les hommes ne parlaient pas la même langue. Les soldats voulaient savoir pourquoi le pilote avait atterri sans permission et s'apprêtaient à le mettre aux arrêts.

Le pilote remarqua la présence du jésuite et lui demanda s'il parlait l'anglais. Puis il lui expliqua qu'on avait finalement trouvé une piste de l'avion disparu et qu'il devait se rendre au chantier de construction de Kanglung pour y prendre un responsable de la Dantak. Le pilote ne connaissait pas la région et avait décidé de se poser sur le terrain de football pour obtenir des éclaircissements sur sa position. Le père Mackey tenta d'expliquer la situation du mieux qu'il le pouvait aux soldats, passant du népalais au sharchopkha jusqu'à ce qu'il se fit comprendre.

Une fois la situation éclaircie, le pilote devait toujours se rendre à Kanglung. Le jésuite lui indiqua la route à prendre. «Vous voyez cet endroit sur l'éperon là-bas? dit-il. Allez tout droit dans cette direction et vous verrez Rongtong. Tout juste après, c'est Kanglung. Ça ne vous prendra pas plus de deux minutes.» Le pilote regardait les montagnes qui l'entouraient et qui se ressemblaient toutes à s'y méprendre. Il demanda au père Mackey de l'accompagner, lui promettant de le reconduire une fois qu'il aurait localisé Kanglung. Le jésuite accepta sans hésitation. Jamais il n'avait volé dans le superbe hélicoptère Alouette. L'appareil décolla, et le père Mackey put admirer dans son ensemble la beauté de la région environnante. Il dirigea le pilote vers Kanglung et lui désigna un endroit où atterrir.

À Kanglung, plusieurs personnes attendaient l'arrivée de l'hélicoptère. L'une d'elles, le colonel Lama, demanda en apercevant le jésuite : «Que faites-vous ici, mon Père?» «Je suis l'éclaireur, répondit le père. Le pilote doit me ramener à Tashigang.» «Pas question, dit le colonel. Nous venons de recevoir un message urgent. Nous devons partir sur-le-champ.» «Alors, que ferez-vous de moi?» s'enquit Wiliam Mackey. «Prenez mon véhicule pour retourner», fit l'autre.

La route ne se rendait pas encore jusqu'à Tashigang, mais le père Mackey pourrait tout de même aller en voiture jusqu'à Phomshing. Cependant, près de Rongtong, le chemin était bloqué. Impossible de passer. Il faudrait donc trois heures pour effectuer le trajet, ce qui n'avait pris que trois minutes en hélicoptère à l'aller! Marcher aurait été plus rapide! Mais le jésuite décida de patienter dans son véhicule jusqu'à ce que l'on déblaie la route.

Plus tard, William Mackey apprit qu'on avait retrouvé l'avion au nord de Rangthang Woong, près de Tashi Yantse. À cause de la mauvaise visibilité, le pilote avait raté la vallée et s'était écrasé contre le flanc d'une montagne. Il était mort sur le coup.

Encore aujourd'hui, malgré la construction de plusieurs routes, les Bhoutanais voyagent plus souvent à pied qu'en véhicule motorisé. Des milliers de paysans s'engagent tous les jours sur des pistes étroites, à flanc de montagnes, où ne passe aucune route. Il semble impossible aujourd'hui de penser qu'un jour toutes les régions rurales de ce pays soient desservies en entier par un système routier.

Par ailleurs, même si le gouvernement a construit de nombreux ponts suspendus, il faut souvent avoir recours à des moyens beaucoup plus primitifs, à certains endroits, pour traverser les cours d'eau. William Mackey s'en rendit compte lors d'un voyage au petit village de Shinkharlauri dans le sud-est du Bhoutan. Les voyageurs arrivent la plupart du temps par le sud à partir de Merak-Sakteng, ou encore de l'est en provenance de Khaling. Le père Mackey marchait en direction de Shinkharlauri, accompagné du docteur Anayat, de Kipchu (du dzong de Tashigang) et de Cyril Namchu (du ministère de l'Agriculture).

Bientôt, les quatre hommes arrivèrent à un ravin où coulait une rivière tout au fond. Ce genre d'obstacle était fréquent au Bhoutan, mais les voyageurs ressentaient tout de même un certain malaise, car il fallait traverser dans un panier de bambou! Le panier était retenu par une grosse corde tressée, de bambou elle aussi, que l'on avait attachée à de gros arbres de part et d'autre du ravin. Qui serait le premier à traverser? Personne ne se portait volontaire. «Mon cher Kipchu, dirent les trois autres en coeur, vous êtes le seul Bhoutanais. À vous l'honneur!»

Après avoir pris un petit verre de rhum, Kipchu embarqua dans le panier sous les encouragements de ses compagnons et laissa glisser la nacelle jusqu'au milieu du ravin. Plus bas, le violent courant de la rivière se déversait dans un tourbillon d'écumes. En tirant sur la corde attachée au panier, Kipchu réussit à atteindre l'autre versant. On ramena le panier de l'autre côté, puis Cyril Namchu demanda : «Qui est le suivant ?» «Nous avons besoin d'un médecin de l'autre coté, blagua William Mackey. Le docteur Anayat fut gentiment poussé dans le panier, et traversa sans encombres. «Je crois qu'ils ont maintenant besoin d'un prêtre», dit M. Namchu au père Mackey alors qu'il terminait la bouteille de rhum.

Un matin du mois de mai 1964, l'hélicoptère personnel du roi se posa sur le terrain de football derrière l'école de Tashigang. Sa majesté, le roi Jigme Dorji Wangchuk, descendit de l'appareil le dos courbé pour se protéger du mouvement des pales de l'hélice. Le roi n'était pas un homme très grand et, bien qu'il fût encore dans la trentaine, il commençait déjà à perdre ses cheveux. Il était vêtu d'un simple *go*, et il émanait de lui une confiance toute simple, la chaleur, l'intelligence et la bonne humeur.

Le père Mackey faisait partie du groupe venu accueillir le roi. Il était lui aussi vêtu d'un *go* et, lorsqu'il lui fut présenté, le roi le complimenta sur sa tenue vestimentaire. Le petit groupe s'engagea ensuite sur le petit sentier recouvert d'aiguilles de pin qui menait à la résidence des invités. Le roi invita le père Mackey à l'intérieur pendant que les autres attendirent à l'extérieur. L'hélicoptère devait aller chercher les autres invités, et le roi accepta d'aller visiter l'école en attendant leur arrivée.

Le petit groupe se remit donc en marche. Le thrimpon et les autres fonctionnaires étaient quelque peu en retrait derrière, pensant que le roi se dirigeait vers le dzong. Pour gagner un peu de temps, ils se dirigèrent vers l'école en empruntant un raccourci. Le père Mackey tenta d'indiquer aux autres le changement d'itinéraire en secouant la main dans le dos du roi, pointant l'école du doigt. «Que faites-vous, mon père?» demanda le roi. «Rien du tout, Votre Majesté.» «Mais vous faites sûrement quelque chose», reprit le souverain. «Non, non, je ne fais que marcher derrière vous.»

Le groupe arriva finalement sur le terrain de l'école et se dirigea vers le réfectoire, où les étudiants prenaient leur repas. Le sol était boueux à cause de la source venant de la montagne, qui coulait dans des tuyaux de bambou et de caoutchouc jusqu'à l'école. En effet, il était impossible de stopper l'approvisionnement d'eau, et le trop-plein était évacué sur cette parcelle de terrain. Un petit passage surélevé fait de pierres permettait de se rendre à la cuisine sans trop se salir. Par contre, les gardes du corps, avec leur bel uniforme importé de Suisse, devaient se déployer autour du roi pour assurer sa protection et pataugeaient dans la boue.

Une fois à l'intérieur, Jigme Dorji Wangchuk prit un plat composé de riz et de dhal et s'installa parmi les garçons. Le docteur Tobgyel, son médecin personnel, arriva un peu plus tard et il était furieux de voir que son maître avait déjà commencé à manger. Une de ses fonctions consistait à goûter tout ce qu'on servait au roi pour contrer toute tentative éventuelle, mais peu probable, d'empoisonnement.

Après le repas, les membres du petit groupe reprirent le chemin de la résidence des invités. Ils s'arrêtèrent à la chambre de William Mackey, et le roi se montra très intéressé par la bibliothèque du jésuite. Il passa de longues minutes à examiner les livres. Ceux qui attendaient son retour à l'extérieur se demandaient bien ce qui l'intéressait ainsi. Finalement, il demanda au père Mackey la permission de lui emprunter quelques livres. À partir de ce moment, et jusqu'à la mort du roi, les deux amis allaient s'échanger de nombreux livres.

Lors d'une visite plus officielle du roi, quelque temps plus tard, Babu Tashi fit une inspection de dernière minute du terrain de football, de l'hôpital et de l'école. Il se dépêcha d'aller voir le père Mackey pour lui faire part de ses observations. «Où est votre arche?» lui demanda-t-il. «Quelle arche?» s'enquit le père Mackey, très intrigué.

Selon la tradition au Bhoutan, toutes les localités et toutes les institutions devaient ériger une voûte d'entrée temporaire, ou une arche, pour célébrer l'arrivée d'un invité spécial de haut rang. On utilisait en général un cadre de bois recouvert de fleurs et de rameaux. On installait également une banderole au haut de l'arche pour souhaiter la bienvenue à l'invité. En cette journée toute spéciale, on avait érigé une telle arche devant le cantonnement de l'armée et une autre à l'entrée du dzong, mais il n'y en avait aucune à l'école. Et le roi devait arriver sur le terrain de football et se diriger à pied vers l'école! Le père Mackey cherchait une solution. «Reste-t-il une banderole de bienvenue», demanda-t-il à Babu Tashi? «Je crois que oui», répondit celui-ci. «Pouvez-vous aller me la chercher?» reprit le jésuite. Ensuite, William Mackey planta deux perches de bambou devant l'école et tendit la banderole entre les deux. Puis il fit venir une douzaine de ses meilleurs gymnastes.

Quelques instants plus tard, l'hélicoptère gouvernemental atterrissait à Tashigang, où le roi fut accueilli par l'armée et sa garde royale. Le père Mackey assista à la cérémonie en compagnie de plusieurs responsables, mais il profita de l'inspection de la garde pour s'esquiver et retourner à l'école où l'attendaient les gymnastes. Pendant qu'il marchait, il se rendit compte que les gens le regardaient d'un drôle d'air. Il apprit plus tard qu'un garde du corps l'avait suivi tout ce temps, arme à la main, pensant que le jésuite était peut-être membre d'un complot.

Le père Mackey attendait patiemment pendant que le roi et sa suite descendaient la colline vers l'école. Le souverain franchit les derniers mètres de la pente abrupte du sentier et vit le jésuite devant lui. Il en était venu à connaître ses méthodes peu orthodoxes. «Que nous préparez-vous encore, mon Père», lui demanda-t-il? Le jésuite donna un coup de sifflet, et les jeunes garçons qu'il avait choisis se mirent en mouvement. En quelques secondes, ils avaient fait deux belles pyramides avec chacune trois gymnastes à sa base. Ceux qui étaient tout au haut tenaient dans leurs mains la banderole souhaitant la bienvenue à Sa Majesté. Le roi prit une photographie et poursuivit sa route en passant sous l'arche improvisée. Dès que le roi se fut éloigné quelque peu, le père Mackey siffla à nouveau et les deux pyramides s'effondrèrent comme un château de cartes. C'était déjà un miracle qu'elles aient tenu si longtemps. Le docteur Tobgyel, le thrimpon et les autres dignitaires se trouvèrent entourés de gymnastes affalés.

Cette visite royale permit au roi et au père Mackey de faire plus ample connaissance. Le lendemain de l'arrivée du souverain, le jésuite fut convoqué au dzong, qui servait de résidence royale pendant la visite. Les deux hommes s'assirent en tailleur sur de petits tapis déposés sur le plancher de bois vernis. «Mon père, donnez-moi un bref aperçu des fondements de la foi catholique», demanda le roi. «En bref... Si vous aimez Dieu, vous le prouverez en aimant votre prochain», dit le père Mackey. Ce court exposé impressionna le roi. Il demanda au jésuite s'il avait des livres racontant la vie du Christ. «Je possède les Évangiles et les autres livres du Nouveau Testament», répondit celui-ci. «Alors, revenez me voir demain et apportez le Nouveau Testament», ordonna le roi.

Le jésuite revint au dzong le lendemain, son livre à la main. Le roi l'inspecta quelques instants; la déception pouvait se lire sur son visage. Le livre était beaucoup trop volumineux... Impossible de lire tout ça dans le peu de temps dont il disposait. «Prenez un des Évangiles, le plus court, celui de Luc, suggéra le père Mackey. Lisez-le en entier. Ça ne vous prendra pas plus d'une heure, une heure et demie tout au plus. Vous aurez ainsi une bonne idée du contenu. Il ne faut pas lire seulement des extraits, mais l'Évangile au complet, d'un trait.»

Après avoir lu l'Évangile, le roi voulut s'entretenir à nouveau avec William Mackey. «Ces guérisons, ces miracles, tout cela est-il arrivé vraiment?» demanda-t-il. «Votre Majesté, répondit le père Mackey, j'ai vu des choses étranges dans le bouddhisme que l'on pourrait considérer comme des miracles.» Le jésuite raconta l'histoire de Yonphula Rinpoche priant au chevet d'un vieil homme malade qui, croyait-on, allait mourir bientôt. Mais, contre toute attente, l'homme guérit complètement. Selon le père Mackey, il ne s'agissait pas d'un événement ordinaire. Le roi, bien entendu, ne désirait pas se convertir au catholicisme. Par contre, cette religion éveillait en lui une certaine curiosité. Il était impressionné par le travail des jésuites et se demandait ce qui pouvait bien motiver un comportement empreint d'un tel dévouement.

Le roi et le père Mackey éprouvaient beaucoup de respect l'un pour l'autre et partageaient le même sens de l'humour. Chaque fois que le roi visitait le Bhoutan oriental, les deux hommes essayaient toujours de trouver l'occasion de se voir. William Mackey était également invité au palais de temps à autre.

Le jésuite eut aussi l'occasion de voyager en compagnie de l'escorte royale. Ces déplacements, lorsqu'ils incluaient la traversée d'une frontière, pouvaient causer certains problèmes de permis au père Mackey. Comme étranger, il devait arrêter au poste frontière de Jaigaon en Inde pour montrer ses papiers, et en particulier son permis de transit. En effet, la région au nord est de l'Inde est une zone à accès limité depuis plus d'un siècle. Durant les années 60, on ne permettait pas aux étrangers de voyager vers le nord dans le district de Darjiling ou le Sikkim (un État souverain, en principe, jusque dans les années 70) et de traverser la frontière du Bhoutan, ou encore de se diriger vers l'est jusqu'à l'Assam ou d'autres régions. Pour voyager dans cette partie de l'Inde, il fallait obtenir un permis de transit émis par les autorités indiennes. Le permis indiquait tous les renseignements concernant le voyage: l'itinéraire, la date, le moyen de transport, l'identité du voyageur, etc. Les jésuites de Darjiling, par exemple, avaient un permis de résidence qui leur permettait de rester dans certaines régions désignées (permis que l'on avait retiré à William Mackey en 1963).

Les autorités indiennes devaient également être informées de tous les étrangers se trouvant au Bhoutan. Le père Mackey avait donc deux documents en sa possession : un permis de transit pour traverser la frontière et voyager sur le territoire indien à accès limité et un autre pour demeurer au Bhoutan. Le permis de résidence, émis à Calcutta, était valable pour six mois et pouvait être renouvelé sur demande aussi souvent que nécessaire. Pour ce qui était du permis de transit, il était émis par l'ambassade de l'Inde à Thimphu deux mois à l'avance, pour un voyage précisément désigné. Ce permis n'était pas nécessaire pour les citoyens du Bhoutan qui pouvaient voyager librement dans cette région de l'Inde. Le fait qu'il n'y avait pas de route reliant l'est et l'ouest du Bhoutan rendait la situation particulièrement difficile pour le père Mackey. Car, afin d'aller d'une partie du pays à l'autre, il fallait absolument passer par l'Inde. Sauf, bien sûr, si l'on était un grand adepte des excursions pédestres à travers les montagnes bhoutanaises!

Durant le séjour du père Mackey à Tashigang, il n'y avait fort heureusement aucun poste frontière indien à traverser pour aller à Samdrupjongkar. Même si techniquement il lui était interdit de voyager dans la région de l'Inde qui borde le Bhoutan au sud sans permis de transit, il pouvait le faire sans difficulté majeure. Par contre, un permis était obligatoire s'il voulait entrer à nouveau au Bhoutan par un point de contrôle. Lorsqu'il voulait aller à Darjiling ou à Calcutta, via Gauhati ou Siliguri, le jésuite prenait le temps d'obtenir le permis de transit parce que ces déplacements, entre autres, devaient être planifiés longtemps à l'avance. Il était aussi très connu à l'aéroport de Gauhati et à la gare de Siliguri et il pouvait difficilement passer inaperçu.

Après la première rencontre du père Mackey avec les douaniers indiens lors de son voyage en compagnie de l'escorte royale, il eut l'occasion de discuter de ce problème avec l'ambassadeur de l'Inde à Thimphu. Ce dernier lui promit qu'il serait en mesure de régler tous ces inconvénients. Malheureusement, il y avait une énorme différence entre un entretien avec un diplomate dans les salons de Thimphu et les positions inflexibles des douaniers sur le terrain. Ceux-ci n'avaient pas arrêté le convoi royal lors de son passage, malgré la présence d'un jésuite sans papiers parmi l'escorte.

Toutefois, les douaniers indiens étaient en mesure de lui causer de nombreux ennuis plus tard. Ainsi, peu après, un garde frontière voulut empêcher William Mackey de poursuivre sa route à cause de l'incident survenu précédemment, alors qu'il accompagnait le roi et qu'il avait omis de signaler l'infraction au règlement. Mais le jésuite défia le garde : «Comment aurais-je pu la signaler? Je ne pouvais tout de même pas faire arrêter l'escorte royale!» «Vous auriez dû le faire», dit le garde. « Écoutez, reprit le père Mackey, j'ai réglé la question avec l'ambassadeur à Thimphu. S'il y a un problème, donnez-lui un coup de téléphone.» «Pas question», fit le garde. «Je peux me servir du téléphone?» reprit le père. «Pourquoi faire? demanda l'autre. «Parce que je veux appeler l'ambassadeur.»

Finalement, le garde frontière indien laissa passer le père Mackey. Ce ne fut toutefois pas aussi facile à Jaigaon, où le jésuite devait traverser la frontière dans le cadre d'une mission pour le moins curieuse. Il avait reçu un radiogramme de la part de Dawa Tsering qui commençait ainsi : «Sa Majesté est heureuse de commander...» Le message intimait l'ordre au père Mackey de se rendre à Thimphu et de se présenter devant le roi. Le jésuite n'avait cependant pas de permis de transit. En temps normal, il n'aurait pas tenté un tel voyage, car il essayait de respecter la loi autant que possible. Mais il s'agissait de quelque chose de très spécial. «Je dois tenter ma chance», se dit-il. Il se rendit à Samdrupjongkar et de là prit un autocar pour Phuntsholing au Bhoutan, qui passait par l'Inde. Il avait presque réussi.

Jaigaon, qui se trouve de l'autre côté de la frontière de Phuntsholing, n'était à cette époque qu'une rue poussiéreuse, avec le poste de douane indien et quelques boutiques. Tous les autocars en provenance du Bhoutan devaient s'arrêter à la barrière devant le petit édifice de l'immigration. Un fonctionnaire indien monta dans le véhicule et jeta un coup d'oeil rapide. Le père Mackey était assis à l'arrière près d'une fenêtre et passa inaperçu. Le conducteur reçut l'ordre de poursuivre sa route et, tout juste au moment où le fonctionnaire descendait, un ancien étudiant de l'école de Tashigang reconnut William Mackey. «Mon père, que faites-vous ici?» dit-il. Le fonctionnaire remonta alors dans l'autocar et demanda au jésuite de lui montrer son permis. Comme il ne l'avait pas, il dut descendre de l'autocar et entrer dans le bureau. Il expliqua au responsable qu'il devait aller à Thimphu et qu'il n'avait pas encore reçu son permis (en réalité, il avait demandé un permis pour un voyage subséquent qu'il devait faire à Siliguri). Le fonctionnaire ne voulut rien entendre. Même le radiogramme, que le père Mackey voulut utiliser comme sauf-conduit, en dernier recours, ne lui fut pas d'un grand secours. «Nous ne prenons pas nos ordres du roi du Bhoutan», dit le garde. «Mais moi, oui!» répliqua le jésuite.

Finalement, le fonctionnaire ne désirait pas vraiment se mêler de ce genre de choses et ordonna au père Mackey de rebrousser chemin vers Samdrupjongkar. Le jésuite se montra têtu à son tour. Il avait fait toute cette route sur les ordres du roi et il n'était pas question pour lui de retourner à Tashigang. «Je ne retourne pas à Samdrupjongkar, dit-il. J'ai reçu un ordre et je le respecte. Pas question de partir. Vous pouvez faire ce que vous voulez.» Le garde devait donc le mettre en détention, mais il n'y avait pas d'endroit prévu à cet effet.

De l'autre coté de la frontière, l'officier responsable de la sous-division de Phuntsholing attendait l'arrivée du père Mackey dans une jeep de l'escorte royale pour l'emmener à Thimphu. Lorsque les autorités bhoutanaises furent mises au courant de la mésaventure du jésuite, ils lui firent porter du thé et une collation. Pendant ce temps, le fonctionnaire indien tentait de trouver une solution. Le téléphoniste et l'opérateur furent mis à contribution durant quelques heures. Dawa Tsering et des responsables bhoutanais avaient été avisés de ce qui arrivait et ils essayaient de rejoindre le commissaire de Jalpaiguri, responsable du district de Jaigaon. Lui seul avait le pouvoir de permettre à William Mackey de traverser la frontière. Il s'était cependant absenté en ce dimanche après-midi pour aller jouer au tennis.

Le père Mackey devait donc demeurer au poste frontière en compagnie de son «gardien». Il lut le journal dans un bureau et s'assoupit même un court instant. En début de soirée, un repas complet lui fut amené de Phuntsholing. Par ailleurs, le fonctionnaire indien commençait à en avoir assez de cet invité forcé qui s'attardait, prenait ses repas confortablement à son bureau et, pour tout dire, prenait ses aises. Pour calmer son hôte, le père Mackey utilisa le journal pour en faire un napperon improvisé.

«Et où allez-vous dormir?» s'insurgea le garde. Le jésuite haussa les épaules: «Je peux m'installer n'importe où. J'ai un sac de couchage avec moi. Ne vous inquiétez pas, j'ai déjà dormi dans de pires endroits... Mais, par contre, il y a une résidence pour les invités à Phuntsholing. Je sais qu'on m'y attend... Je pourrais y dormir.» Le garde lui lança un regard mauvais et refusa sa proposition. Il y avait un édifice du gouvernement pas très loin, et le garde décida que le jésuite y dormirait sur un *charpoy*, un petit lit indien traditionnel. Le père Mackey étendit son sac de couchage et s'étendit. Le sommeil le gagna en quelques minutes. À dix heures, le garde le réveilla pour lui dire que les autorités bhoutanaises et indiennes avaient finalement trouvé une solution. Il pouvait donc poursuivre sa route, et des gardes indiens l'escortèrent jusqu'à Phuntsholing.

William Mackey ne connaissait toujours pas la raison pour laquelle le roi l'avait convoqué à Thimphu. Il arriva dans la ville le lendemain, tard en soirée, et passa la nuit chez son bon ami Tamji Jagar. Le jour suivant, tôt le matin, il se rendit à Dechenchoeling, au palais, où le roi le reçut immédiatement. Il fut cependant arrêté à la porte par un garde du corps qui lui demanda: «Où est votre *chanjey?*» Le jésuite ignorait que toute personne reçue par Sa Majesté devait lui apporter un cadeau. Le *chanjey* est le cadeau que donne une personne de rang inférieur à une autre d'un rang plus élevé. En principe, il devait le donner au garde qui ensuite allait le remettre au roi. Le serviteur et le garde trouvaient ce bris des convenances plutôt indigne, mais, après tout, qui pouvait vraiment comprendre les étrangers? Se basant sur ce raisonnement, ils laissèrent entrer le père Mackey.

La pièce dans laquelle pénétra le père Mackey servait de chambre à coucher. La décoration offrait un heureux mélange de luxe et de simplicité : des planchers de bois vernis, quelques meubles épars, de somptueux tissus et des ornements peints autour des fenêtres et des *choedroms*. Le roi, la reine et leurs cinq enfants étaient présents dans la pièce. Ils accueillirent chaleureusement William Mackey, lui offrant le thé, des gâteaux et des biscuits. Le jésuite fut très impressionné par la façon dont les membres de la famille exprimaient réciproquement leur amour. Pour lui, il ne faisait aucun doute que la famille royale était très unie.

Le roi et la reine demandèrent au père Mackey s'il voulait bien passer un mois en compagnie des trois enfants les plus âgés de la famille. Toujours aussi audacieux, le jésuite répondit qu'il désirait retourner à Tashigang dans deux semaines pour le début de la session d'examens. «Nous verrons bien dans deux semaines», dit le roi. Ce dernier expliqua alors que son fils Jigme Singye Wangchuk, le prince héritier, avait étudié en Angleterre, mais que récemment il avait éprouvé des difficultés. La direction de l'école l'avait expulsé à cause de ses nombreuses absences. Le roi se demandait quelle était la nature du problème de son fils et il désirait que le père Mackey fasse sa propre évaluation. Le jésuite enseignerait aux trois enfants pendant un certain temps et par la suite donnerait son appréciation.

Le père Mackey comprit plus tard ce qui n'allait pas avec le prince. Cela n'avait rien à voir avec son intelligence. Lorsque l'enfant devait retourner en Angleterre, après les vacances passées au Bhoutan, il ne faisait preuve d'aucun enthousiasme à l'idée d'effectuer le voyage. Les bouddhistes du Bhoutan croient fermement qu'il existe des moments plus propices que d'autres pour poser un geste ou entreprendre une action. Pour déterminer ce moment particulier, il est nécessaire de consulter un astrologue de religion bouddhiste. Au moment de choisir la date appropriée pour le départ du prince héritier, les astrologues consultés avaient tendance à choisir une date tardive, car ils savaient que sa mère détestait le voir partir. En outre, lors du voyage, le garçon et sa suite avaient tendance à s'attarder dans des endroits comme Calcutta ou Delhi, où leurs hôtes étaient bien heureux de recevoir des invités aussi prestigieux. Par conséquent, le jeune prince arrivait souvent en retard pour le début de l'année scolaire. Les autorités de l'école anglaise n'appréciaient pas ces transgressions répétées du règlement et, finalement, refusèrent la réinscription de l'élève. Le roi essaya de régler le problème, mais il décida après plusieurs tentatives infructueuses de faire revenir son fils au Bhoutan.

Le père Mackey aimait bien donner des cours particuliers à ses trois nouveaux étudiants. Il leur enseignait l'anglais, le français et quelques notions de base en mathématiques et en sciences. Les adolescents avaient des personnalités très différentes. Sonam, la fille aînée, était plutôt sérieuse et tranquille tandis que sa soeur, Dechen, était très active et extravertie. Elles étaient toutes deux de bonnes étudiantes. Quant à Jigme, il était un garçon intelligent, mais ne semblait pas intéressé par l'école. Tout d'abord, il n'aimait pas travailler et, particulièrement, faire ses devoirs. Souvent, il demandait à d'autres personnes d'exécuter ses travaux. Le jésuite se rendit vite compte de la supercherie, car les écritures ne correspondaient pas toujours. Jigme ne s'était même pas donné la peine de transcrire les textes. «Vous pouvez peut-être agir ainsi en Angleterre, mais ça ne marche pas ici», dit le père Mackey au prince. Le jésuite garda ensuite son élève près de deux heures en retenue pour qu'il fasse ses devoirs et obtint sa parole que dorénavant il ne tricherait plus.

Durant cette période, Jigme demeurait avec son père au Tashichoedzong, le vaste dzong où siégeait le gouvernement national. Les filles, quant à elles, logeaient au palais de Dechenchoeling avec leur mère. Le père Mackey résidait lui aussi au palais. Un soir, le jésuite alla se promener à Thimphu pendant que le docteur Tobgyel le cherchait un peu partout afin de lui parler. Le petit médecin portant des lunettes réussit enfin à le trouver et le réprimanda : «Voulez-vous bien me dire pourquoi vous donnez des leçons de français à cet enfant? Personne ici ne parle le français. Nous avons travaillé des heures à faire ses devoirs...» Donc, même s'il s'était fait punir par le père Mackey, Jigme n'avait pas cessé pour autant ses combines astucieuses. Un jour, le prêtre arriva dans la salle de cours et s'assit afin de donner sa leçon. Comme à l'habitude il s'installa sur un petit banc recouvert d'une couverture et de coussins. En s'asseyant, il sentit sous lui quelque chose qui bougeait. «Jigme. Enlevez cette chose d'ici», dit-il calmement sans même regarder son élève. Le garçon se leva et retira le bébé tigre enfoui sous la couverture.

Pour changer de la routine habituelle, le père Mackey décida d'initier ses trois nouveaux élèves à la gymnastique. Il y avait une pelouse bien tenue à l'extérieur, idéale pour effectuer des pirouettes. Il ne disposait pas de cheval d'arçons, bien entendu, mais le jésuite savait que quelques *choedroms* permettraient aux enfants de bien s'amuser. Il donna l'ordre aux enfants de prendre les petites tables et de sortir dehors. Dès qu'ils furent à l'extérieur, plusieurs serviteurs se précipitèrent pour venir à leur aide. Le jésuite les en empêcha : «Non, ils doivent transporter eux-mêmes le matériel. Ils en sont capables». Après quelques jours, tous semblaient avoir compris. Le garde et les serviteurs se contentaient de regarder lorsque la petite procession arrivait sur l'herbe. Le père Mackey pouvait voir quelques petits sourires sur leurs visages pendant que les enfants de la famille royale transportaient les tables. Les employés observaient également les exercices de gymnastique. Ils n'avaient jamais vu rien de tel au palais : les enfants qui pirouettaient, se tenaient sur la tête, plongeaient entre les jambes des autres, effectuaient des culbutes et faisaient toutes sortes d'exercices.

Les serviteurs n'étaient pas les seuls à s'intéresser aux exploits sportifs des enfants. Le roi entendit parler de cette gymnastique improvisée et demanda au père Mackey de lui organiser une petite démonstration à son bureau de Tashichoedzong. Le jésuite profita de l'occasion pour également faire effectuer aux enfants quelques expériences scientifiques devant leur père. Le roi fut très impressionné par tout ce qu'avaient appris ses enfants.

Durant son séjour à Thimphu, le père Mackey se rendit compte que le roi possédait de vastes connaissances en matière d'agriculture. Il amena un jour le jésuite et les enfants visiter le centre de recherche en agriculture situé à Simtokha, tout juste au sud de Thimphu. Sur place, le jésuite vit le roi montrer l'étendue de ses connaissances lors d'une discussion sur les mérites de différents types de maïs avec un expert venu de l'Inde.

La reine, la charmante et très belle Ashi Kesang, savait également très bien divertir ses invités malgré ses manières d'aristocrate. Pendant le séjour du père Mackey, la reine et ses enfants allèrent passer quelques jours au palais de Paro, et le jésuite les accompagna. Un beau matin, elle proposa d'aller à la campagne faire un pique-nique. Le jésuite trouva l'idée excellente. La reine, les enfants, le prêtre, des chauffeurs et quelques serviteurs s'entassèrent dans deux jeeps et prirent la direction d'un endroit près de la rivière, de l'autre coté du vieux temple Tachogang Lhakhang. Ce temple porte aussi le nom de Drubthob en l'honneur de Drubthob Thangton Gyelpo, un lama du XVe siècle qui était devenu célèbre pour avoir construit des ponts suspendus très résistants et durables avec des chaînes. En fait, un de ces ponts existait toujours et permit au père Mackey et à ses amis d'accéder au temple. Ces «ponts de fer» étaient très impressionnants, avec leurs longs maillons énormes qui formaient sa structure. Ils étaient si solides qu'ils avaient réussi pendant des siècles à résister à la rouille.

L'herbe des montagnes tout près commençait à brunir avec l'arrivée de l'automne. Le petit groupe ne s'installa pas sur l'herbe, comme l'avait d'abord pensé le père Mackey, mais plutôt sur le plancher supérieur du temple (*lhakhang*). Le repas typiquement bhoutanais était délicieux. Il y avait du riz fraîchement cuit, de la viande et, pour terminer, des gâteaux comme dessert. Après avoir mangé, Jigme proposa d'aller à la pêche. Le jésuite ne connaissait rien à ce sport; il accompagna néanmoins le prince, qui possédait une canne à pêche et un moulinet très modernes. Le garçon pêcha un certain temps, lançant et ramenant sa ligne, puis demanda à son professeur d'essayer à son tour. Le prêtre n'avait jamais vu ce type de canne à pêche. Il fit un lancer, mais le prince décréta qu'il ne lançait pas assez loin. «Il faut lancer plus fort», dit-il. Le jésuite s'élança et donna un grand coup. L'hameçon, plutôt que de plonger loin dans la rivière, se planta dans le cou du père Mackey.

Les deux semaines passées à Thimphu s'achevaient, et le père Mackey pensait anxieusement à la session d'examens qui devait bientôt commencer à Tashigang. Il voulait retourner à son école. Il trouvait également la vie au palais très éprouvante pour les nerfs. Les serviteurs qui couraient partout pour satisfaire ses moindres désirs le rendaient complètement fou. Il parla de ses plans à la reine à quelques reprises. «Il faut obtenir la permission de roi», dit-elle.

Le père Mackey pria Jigme de demander à son père s'il pouvait retourner à Tashigang. Le roi accéda à la demande du prêtre. Il désirait toutefois discuter avec lui de son expérience avec les enfants princiers. Le jésuite assura le roi que ses enfants avaient tous de bonnes capacités intellectuelles et y alla de quelques conseils concernant leur éducation future. Au moment du départ, le roi et la reine se déplacèrent pour venir le remercier en personne. Ils avaient mis à sa disposition, pour le voyage, une jeep de la garde royale et avaient réglé toutes les formalités de transport en Inde. Le roi lui donna également, en guise de remerciement, une très vieille pièce de monnaie tibétaine.

William Mackey conserva des relations très cordiales avec la famille royale durant son long séjour au Bhoutan. Pendant les huit dernières années de sa vie, le roi visitait Tashigang, Kanglung et Yonphula au moins deux fois par année et ne ratait jamais une occasion d'inviter le jésuite à des cérémonies, tout simplement pour le plaisir de discuter amicalement. Le souverain invita également le prêtre à venir célébrer la Fête nationale du 17 décembre à Samdrupjongkar. Toute la famille royale était présente pour l'occasion, et le prêtre était heureux de pouvoir revoir les enfants de la famille royale. Au cours des années suivantes, le père Mackey aurait d'ailleurs souvent l'occasion de les revoir, particulièrement Ashi Dechen qui occuperait un poste très important. De plus, le jésuite demeura toujours un ami de la reine. Il avait toute sa confiance, surtout durant la période suivant la mort de son mari et l'accession au trône du Bhoutan de son fils Jigme

Singye Wangchuk qui, dans son enfance avait caché un tigre sous la couverture du siège du père Mackey.

Chapitre 7

AU DÉBUT DE SON SÉJOUR AU BHOUTAN, LE PÈRE MACKEY N'ÉPROUVAIT aucun problème de santé vraiment sérieux. Il ratait rarement une journée de travail pour cause de maladie, ce qui constitue une sorte d'exploit vu les conditions de vie difficiles à Tashigang. Ses dents le faisaient toutefois vraiment souffrir depuis de nombreuses années. Il expliquait le mauvais état de sa dentition par la mauvaise alimentation qu'il avait eu, encore enfant, pendant la Première Guerre mondiale. Auparavant, lorsqu'il était en poste à Darjiling ou à Kurseong, il pouvait facilement trouver un dentiste. Mais au Bhoutan oriental, il n'y en avait aucun. Le docteur Anayat tentait de son mieux de soulager le jésuite, mais la douleur persistait malgré l'injection de produits anesthésiants.

En 1966, alors qu'il n'en pouvait plus de souffrir, le père Mackey décida de régler la question de façon définitive. Il prit le train pour Calcutta à la fin de l'année scolaire et, le jour même de son arrivée, se rendit voir les frères French, les dentistes qui traitaient les jésuites de cette ville. Il dit au docteur French de lui arracher toutes les dents. Celui-ci toutefois s'objecta : «Non, non, je crois que nous pourrions les sauver.» «Je n'en doute pas, reprit le prêtre. Mais à l'endroit où je demeure, il n'y a pas de dentiste. J'en ai assez. Ce sont me dents, et je suis bien décidé à m'en débarrasser.» Le docteur French n'aimait pas beaucoup l'idée d'enlever toutes les dents de son patient, et en particulier le même jour. Le jésuite ne voulait cependant rien entendre. Ils trouvèrent finalement un compromis : «Je vais enlever les dents du bas aujourd'hui, dit le docteur, et celles du haut demain.»

Il manquait déjà quelques dents à William Mackey, peut-être sept ou huit, mais l'expérience fut néanmoins très pénible. C'est l'extraction des canines supérieures qui fut la plus éprouvante. «Les racines ne semblaient pas suffisamment gelées et j'ai sauté au plafond, raconterait-il plus tard. Mais le travail était déjà commencé, et il valait mieux en finir.» La première journée d'opération fut très difficile; la deuxième l'acheva complètement. À son retour à St. Xavier, il s'arrêta pour saluer son vieil ami le frère Henrichs, le ministre de la résidence. Le 3 décembre était une grande journée, la fête de saint Xavier, et un dîner spécial avait été prévu auquel était convié le père Mackey. «Je ne crois pas être en mesure d'y participer, annonça celui-ci. Je me sens plutôt mal. Je vais au lit immédiatement.» À l'heure du dîner, le frère Henrichs monta à sa chambre avec un bol de soupe. Le père Mackey le remercia sans grand enthousiasme. «Que diriez-vous d'une bonne crème glacée, mon père?» demanda le frère. De toute évidence il connaissait bien les goûts de son invité. «Alors là, oui!» répondit avec empressement le convalescent.

Le père Mackey prit deux journées entières de repos pour récupérer après cette dure épreuve. Il ne pouvait cependant pas porter ses dentiers immédiatement, car ses gencives devaient d'abord guérir complètement. Mais une fois à Darjiling, il put essayer ses toutes nouvelles dents. Il fit sensation à son retour à Tashigang, particulièrement auprès de ses étudiants qui n'avaient jamais vu une telle chose. Les garçons n'en revenaient tout simplement pas. La nouvelle se répandit comme une traînée de poudre dans toute l'école. Tout le monde voulait voir les fausses dents du jésuite. Certains, parmi les plus jeunes, se mirent à pleurer; les plus vieux étaient intrigués. Personne ne comprenait vraiment. C'était la chose la plus extraordinaire qu'ils aient jamais vue. Encore de nos jours, le père Mackey réussit toujours à étonner ses élèves à chaque fois qu'il enlève ses dentiers.

Cependant, la grande oeuvre du père Mackey, c'est-à-dire le développement du réseau scolaire au Bhoutan, connaissait des difficultés. Ainsi, la construction de la nouvelle école à Kanglung s'avérait une entreprise longue et difficile, entrecoupée de réunions, de nouveaux plans et de négociations politiques. En janvier 1964, le premier ministre demanda à l'ingénieur en chef de la Dantak, le brigadier Jaganathan, s'il voulait diriger les travaux sur le chantier. Ce travail intéressait Jaganathan, mais il avait besoin de l'autorisation de Delhi avant d'accepter. Pendant ce temps, les Bhoutanais commencèrent les préparatifs : ils firent l'acquisition du terrain et engagèrent des urbanistes indiens. On espérait que l'école soit prête pour le début de l'année scolaire suivante. Le conseiller indien du roi et ami intime de Jigmie Dorji, l'énergique Nari Rustomji, croyait bien pouvoir respecter ce délai. Mais l'assassinat du premier ministre bhoutanais, en avril 1964, remit tout le projet en question. On décida d'arrêter les travaux.

Les urbanistes furent néanmoins de retour sur le chantier de construction au mois de mai. William Mackey et le *thrimpon* se rendirent sur place pour discuter avec eux. Les travaux au niveau du sol avaient déjà débuté. Toutefois, les plans de construction ne faisaient aucun sens selon le père Mackey, qui déclara : «Le terrain de jeu est sur une pente à 45 degrés, et la cuisine de l'école se retrouve au centre du terrain de football.»

Au mois de juillet, M. Bose, le directeur adjoint en matière d'éducation, se rendit sur les lieux. Il accepta alors que la Dantak assume la responsabilité du chantier puisque, comme l'avait dit le père Mackey, «elle connaît la route, les montagnes et les conditions». Les deux hommes rencontrèrent les responsables de la Dantak, et M. Bose leur donna carte blanche. Toutefois, six mois plus tard, la Dantak n'avait toujours pas reçu l'autorisation de Delhi. Le père Mackey décida par conséquent de retarder d'une année l'ouverture de la nouvelle école.

En janvier 1965, le roi du Bhoutan visita le quartier général de la Dantak à Deothang et fit pression pour que les travaux reprennent le plus rapidement possible. Le brigadier déclara encore une fois qu'il lui fallait attendre l'autorisation de Delhi, et ce ne fut qu'au mois de mai que l'architecte en chef de la Dantak se rendit à Kanglung pour discuter des plans avec le père Mackey. Le jésuite suggéra que l'on cesse de faire des plans et que l'on commence à construire. Ils en étaient à la cinquième version. Mais cette fois, tout semblait prêt pour poursuivre les travaux.

Une nouvelle ronde de négociations eut lieu en juillet. Plusieurs fonctionnaires indiens de Delhi visitèrent le chantier. Ils voulaient discuter avec le père Mackey et le *thrimpon*. L'ingénieur en chef se rendit alors à Thimphu et à Paro pour finaliser les plans. Il espérait pouvoir commencer les travaux dès son retour. Mais au mois d'octobre, lors de la visite du roi à Tashigang, la construction n'avait pas du tout progressé. Le jésuite discuta de la situation pendant deux heures avec le roi et lui fit visiter le chantier. Le roi fit la promesse de s'en occuper personnellement. Il irait à Delhi et parlerait au brigadier de façon à accélérer les démarches.

Un second hiver passa sans véritables progrès dans les négociations. La Dantak, semble-t-il, avait son propre calendrier des priorités. Ils n'avaient rien contre le projet d'édifier une belle école pour le roi du Bhoutan. Toutefois, ils voulaient également construire une route au nord de Tashigang jusqu'à la frontière avec le Tibet. Cette route représentait un grand intérêt d'ordre stratégique pour le gouvernement indien dans l'éventualité d'une guerre avec la Chine. Le gouvernement bhoutanais, voulant préserver sa souveraineté et conscient de la valeur militaire d'une telle route, s'opposait à ce projet. William Mackey, pour sa part, ne s'intéressait pas du tout aux enjeux politiques et trouvait tous ces délais très ennuyeux. En 1966, les différentes parties en arrivèrent finalement à un accord. La demi-soeur du roi visita le chantier au mois de juin et posa une première pierre symbolique pour signaler le début des véritables travaux. On baptisa également la nouvelle école. Le roi avait lui-même trouvé le nom : Sherubtse, qui signifie «le sommet du savoir».

Le père Mackey espérait, une fois de plus, être en mesure de recevoir les étudiants dans la nouvelle école pour le début de la prochaine année scolaire, soit en mars 1967. Le nouveau brigadier de la Dantak, O.P. Datta, un ami du jésuite, l'assura qu'il n'y aurait aucun autre délai. Le prêtre commença donc à recruter le personnel enseignant et à rassembler le matériel nécessaire pour l'ouverture. Il reçut toutefois une fort mauvaise nouvelle à son retour des vacances d'hiver, en janvier 1967, quand O.P. Datta lui fit savoir qu'il serait impossible de terminer la construction au printemps. Le jésuite était furieux. Il trouvait ce manque de sincérité tout à fait inacceptable.

Le père Mackey ne se contenta pas de fulminer en silence. Il se plaignit publiquement en écrivant à Dawa Tsering. Le brigadier Datta n'apprécia pas du tout ce geste de désaveu. Dawa Tsering dut se rendre à Tashigang pour tenter de calmer les esprits. «Vous ne pouvez pas agir ainsi, dit-il au jésuite. Nous avons besoin de ces gens.» Ces paroles ne calmèrent pas le jésuite, exaspéré par toutes ces années de retard, et il s'exclama: «Écoutez! Datta m'a dit que tout était selon les prévisions. J'ai recruté les professeurs... J'ai choisi des étudiants. Et maintenant, on se retrouve le bec à l'eau.» «Je comprends, dit Dawa Tsering, mais il s'agit d'une question politique.»

En effet, même O.P. Datta ne pouvait rien faire pour améliorer la situation du projet de construction de l'école. Les ordres venaient de ses supérieurs à Delhi. Ces derniers avaient décidé de ralentir les travaux à l'école publique Sherubtse parce qu'ils n'avaient pas reçu l'autorisation du gouvernement bhoutanais pour le prolongement de la route vers le Tibet. Tout compte fait, le père Mackey jugea qu'il s'agissait du moment idéal pour s'absenter et prendre des vacances bien méritées. Il partit donc pour le Canada au mois d'août 1967.

William Mackey n'était pas retourné au Canada depuis 1952. Quinze ans plus tard, en 1967, il avait envie de revoir son pays natal. Beaucoup de choses avaient changé là-bas depuis son départ. En tout premier lieu, les moyens de transport pour le voyage avaient évolué de façon étonnante. Les avions à réaction avaient remplacé les paquebots et les avions à hélices. Ces bolides volants lui permirent d'atteindre le Canada à une vitesse qu'il avait de la peine à comprendre. En quelques heures, il était passé d'une région rurale et sauvage, perdue quelque part dans l'Himalaya, à un monde technologique empreint de la mentalité révolutionnaire des années 60. Le père Mackey en était un peu bouleversé. Pendant son séjour au Canada, le jésuite demeura chez son frère Jim. Durant les repas, il essayait de comprendre les conversations de ses nièces adolescentes. «Jim, de quoi parlent elles donc?», demanda-t-il. Mais son frère secoua la tête : «Je n'en ai aucune idée». Enfin, William Mackey subit un autre choc lorsqu'il apprit, par exemple, le prix que l'on demandait pour une coupe de cheveux. Il savait bien que les économies de l'Occident et de l'Orient étaient très différentes, mais à ce point... Douze dollars pour une coupe de cheveux! Au Bhoutan, cela ne lui coûtait que deux roupies, soit environ 35 cents.

Il y avait aussi les étudiants. Durant son voyage au Canada, il accepta de participer à des retraites un peu partout au pays, dont trois avec des étudiants des dernières classes du cours secondaire. La première avait lieu à Saint-Paul, la grande école jésuite située près de Winnipeg. Il commença de façon très enthousiaste en racontant diverses histoires. Il passa au travers de son répertoire sans toutefois soulever le moindre enthousiasme chez les étudiants, du moins en apparence. Le jésuite ne comprenait pas leur réaction et il alla voir le directeur de l'école à qui il demanda : «Mon Dieu! Comment faites-vous pour les intéresser?» «Mais non, lui dit le directeur, vous vous trompez. Les étudiants étaient très intéressés, même s'ils n'ont pas réagi comme vous l'attendiez. Vous avez très bien fait, beaucoup mieux que nous ne le pourrions nous-mêmes.»

Malgré ces explications, le père Mackey se fit la promesse de plus jamais prendre part à des retraites avec des étudiants du secondaire au Canada. Mais il avait déjà pris des engagements, et on l'assura que les étudiants de Halifax et de St. John's seraient plus réceptifs. Les retraites duraient trois jours et comportaient quatre séances de méditation par jour. Le père Mackey devait parler pendant environ 40 minutes, puis les étudiants sortaient pour prier pendant 15 minutes. Les exposés du jésuite portaient sur des thèmes tels que le péché, le salut et la prière. Mais les étudiants ne semblaient pas du tout intéressés par les allocutions du père Mackey et désireux d'écouter tranquillement pour réfléchir aux sujets exposés.

Du temps où William Mackey fréquentait l'école secondaire, les étudiants portaient un veston et une cravate. Pendant une conférence ou un sermon, ils s'asseyaient bien droit sur leur chaise et écoutaient attentivement. Mais le jésuite ne voyait maintenant que des jeunes affalés sur leur siège, les jambes allongées et les bras derrière la tête, qui ne montraient aucun signe d'intérêt. Mais le père Mackey se rendit compte plus tard qu'en fait ils écoutaient tout ce qu'il disait. C'était leur attitude qui l'avait déconcerté, car ils ne respectaient plus les conventions. À cause de leur mutisme, le prêtre avait cru qu'ils étaient contre la religion. Ce n'était pas du tout le cas.

En outre, le père Mackey comprenait difficilement la façon d'enseigner des autres professeurs canadiens. Plutôt que de dire à un élève de faire quelque chose, l'enseignant se contentait de lui demander «s'il croyait que ce serait une bonne idée de le faire». Au contraire, le jésuite avait le goût de crier de temps à autre : «Asseyez-vous et pas un mot!» Pour lui, cette nouvelle forme d'éducation et de discipline constituait un changement draconien. Il ne la condamnait pas toutefois et disait : «Je ne sais pas s'il s'agit d'une bonne ou d'une mauvaise méthode. Chose certaine, c'est très différent.»

Le jésuite retrouva un environnement plus coutumier chez un groupe de Tibétains, qui l'avait invité à venir donner une conférence à Milwaukee. Ils étaient vraiment intéressés par ce que leur raconta William Mackey, et les images du Bhoutan éveillèrent en eux une certaine nostalgie. Ils comprenaient la signification des photographies du missionnaire canadien et la description des rites du bouddhisme tibétain. La conférence fut un tel succès que les organisateurs lui demandèrent de recommencer le lendemain. La rétribution fut également très généreuse.

Cependant, il n'y avait pas que chez les jeunes gens où le père Mackey avait observé un changement. En Amérique du Nord, tout lui semblait pour lui se dérouler à rythme accéléré, et pas seulement les transports. Plus personne ne prenait le temps de faire des promenades ou de relaxer. Il y avait toujours quelque chose d'urgent à régler. Pour sa part, le jésuite était disposé à travailler pendant son séjour au Canada, mais il voulait aussi prendre occasionnellement une journée de congé. «Aujourd'hui, je ne fais rien, disait-il parfois. Une promenade peut-être. Quant à vous, faites ce que vous voulez...» Il marchait durant quelques heures, s'arrêtait à un restaurant pour manger, puis poursuivait sa route. À la fin d'une telle journée, après avoir pris une douche et changé de vêtements, il se sentait frais et dispos, prêt à reprendre ses activités.

William Mackey remarqua également un grand changement au sein de la famille. Cela lui fut particulièrement apparent lors du décès de son père dix semaines après son arrivée au Canada. Plusieurs années auparavant, à la mort de sa mère, la veillée funèbre avait eu lieu à la maison. Maintenant, on enlevait immédiatement le corps de la personne décédée, et la famille ne pouvait le voir que le lendemain matin au salon funéraire. Le père Mackey y voyait bien quelques avantages, mais il trouvait que le rôle de la famille s'en trouvait diminué. Autrefois, la résidence familiale devenait le pôle d'attraction à l'occasion des mariages, des naissances et des décès. Ce n'était plus le cas. Les réceptions de mariage avaient lieu dans des hôtels, les naissances à l'hôpital et les veillées funèbres dans des salons funéraires. Par ailleurs, les enfants ne passaient plus la majorité de leur temps à la maison, mais à l'école où dans des endroits de loisirs. La résidence familiale n'était plus une institution.

Le salon funéraire permit toutefois à William Mackey de rencontrer de nombreuses personnes dans une période de temps restreinte. Par contre, tout le processus lui sembla impersonnel et sans intimité. Les gens arrivaient, saluaient la famille, et cinq minutes plus tard ils étaient déjà partis. Auparavant, dans les maisons, on offrait un buffet aux visiteurs, qui pouvaient boire et discuter avec les membres de la famille. Tout se passait alors avec chaleur. Au Bhoutan, le père Mackey avait été bien heureux de constater que ces vieilles traditions étaient toujours en vigueur.

Parmi les nombreux changements que le père Mackay constata au Canada, il y avait bien sûr la télévision. Lorsque le jésuite était parti en 1946, la télévision n'existait pas encore. Et à son dernier voyage dans son pays natal, elle n'en était encore qu'à ses premiers balbutiements et très peu présente. Maintenant, elle était partout. Le jésuite appréciait tout de même le spectacle du petit écran, surtout les sports (en particulier le hockey) et les actualités. Il était aussi fasciné par les émissions comportant un aspect éducatif, même les bulletins météo. Cela lui donna plusieurs idées pour l'enseignement de la science et de la géograph e, idées qu'il ramena avec lui au Bhoutan.

Le père Mackey croyait cependant que la télévision envahissait la vie quotidienne et nuisait aux rapports entre les gens. Lorsqu'il visitait des amis, la télévision était toujours en marche, et personne ne daignait l'éteindre pour faciliter les conversations. Le jésuite trouvait cela très déplaisant. Selon lui, les relations humaines en étaient perturbées, même si au Canada les gens semblaient s'y être habitués. Au Bhoutan, les personnes recevaient toujours toute l'attention de leur interlocuteur.

Cinq mois plus tard, en janvier 1968, le père Mackey était de retour au Bhoutan. La date pour l'inauguration de l'école Sherubtse avait enfin été choisie : le 2 mai 1968, jour de l'anniversaire du roi Jigme Dorji Wangchuk. Sherubtse pourrait accueillir 100 nouveaux élèves. Ils commencèrent à arriver à Tashigang dès le mois de février et trouvèrent à se loger dans le nouvel édifice du ministère de l'Agriculture.

Il y eut cependant un nouveau délai, car le premier ministre de l'Inde décida de se rendre à Thimphu et à Paro pour l'anniversaire du roi du Bhoutan. Les cérémonies d'inauguration de l'école furent remises au 25 et 26 mai. Les préparatifs allaient toutefois bon train. Le 22 mai, les garçons se mirent en marche vers Kanglung malgré les pluies torrentielles de la mousson. Trois jours plus tard, les invités commencèrent à arriver. Parmi eux, on retrouvait Dawa Tsering, maintenant secrétaire général pour le développement et directeur de l'éducation, Tamji Jagar, le ministre de l'Intérieur, et Sa Majesté le roi, qui arriva vers trois heures de l'après-midi. Ce dernier se rendit immédiatement au mess des officiers de la Dantak, où il demeurerait durant son séjour, et le père Mackey le rejoignit à cet endroit.

La grande inauguration avait lieu le 26 mai. Le petit village de Kanglung débordait littéralement alors que 5000 personnes des villages voisins se rassemblèrent pour célébrer le grand événement. Les élèves de sept écoles formèrent un cordon sur les côtés de la route pour accueillir le roi dans sa jeep. Les lamas menaient le cortège, qui se dirigeait vers le tout nouvel édifice, tandis que les garçons fermaient la marche. Après la cérémonie du thé, qui se déroula avec faste et dignité, le brigadier Datta livra un long discours. Sa Majesté coupa ensuite le ruban de cérémonie, signalant officiellement l'ouverture de l'école, et on dévoila une plaque commémorative pour marquer l'événement. Par la suite, les invités visitèrent l'édifice de l'administration, les salles de cours, les dortoirs et les résidences du personnel. La matinée se termina par une rencontre entre le roi et les étudiants. D'autres festivités eurent lieu durant l'après-midi puis, en soirée, on alluma un grand feu de camp. Quelques jours plus tard, un journal indien, *The Statesman*, titrait au haut d'une page : «Le Bhoutan inaugure sa plus grande école publique».

Pendant plusieurs années, l'école Sherubtse attira de nombreuses personnes de tout le pays qui désiraient voir ces superbes installations. Les gens de la Dantak aussi en étaient très fiers. Ils invitaient fréquemment des personnalités indiennes afin de leur faire visiter l'école.

Grâce à ses deux génératrices, Sherubtse était le seul endroit de la région, à l'exception du camp Dantak, qui possédait l'électricité. Les habitants de Kanglung et des environs n'avaient, pour la plupart, jamais vu d'ampoules électriques. Et il y avait plusieurs autres merveilles à l'école : des pupitres et des bancs, des fenêtres avec des vitres, des toilettes et des douches, un système de plomberie intérieure, une salle à manger, une immense cuisine avec d'énormes fours... Les personnes qui venaient visiter l'école retournaient dans leur village avec des histoires extraordinaires, et la nouvelle se répandit rapidement dans tout le pays. Les adultes voulaient tout simplement venir voir par eux-mêmes; les enfants voulaient y étudier.

Pour les garçons de Tashigang, le transfert à Sherubtse signifiait un passage à un nouveau monde. «Ils sont passés du Moyen Âge au monde moderne en une seule journée», comme l'expliquait le père Mackey. Leurs anciens locaux n'offraient qu'un confort plutôt rudimentaire. La faible lumière du jour entrant par les ouvertures sans vitre y était le seul éclairage dont disposaient les étudiants. Ils devaient s'asseoir à même le sol dans les salles de cours, et le dortoir était situé dans le grenier de l'école pour les garçons alors que les quelques filles devaient habiter dans des familles d'accueil. Il n'y avait pas non plus de réfectoire à leur disposition. Lorsqu'il pleuvait, ils devaient s'asseoir sous la corniche de l'édifice ou dans les couloirs. Tout était très différent à l'école Sherubtse. En comparaison avec les installations de Tashigang, il s'agissait d'un véritable palace.

La nouvelle école constituait également une petite merveille pour les pères jésuites. Elle était située sur un plateau près d'une grande rivière et offrait une vue magnifique. William Mackey trouvait que le climat y était parfait : beaucoup de soleil et pas trop de pluie. Tashigang était un peu trop chaud à son goût. Kanglung était plus élevé en altitude (2100 mètres) que Tashigang, et l'air y était donc plus frais.

Le père Mackey et le père Coffey demeuraient dans de petits pavillons détachés de l'édifice principal. Chaque pavillon comptait trois pièces, dont les deux principales ouvraient sur une petite véranda, et on y retrouvait même des foyers. Il y avait aussi dans chacune des habitations une salle de bains bien équipée avec eau courante (froide seulement) ainsi qu'une petite cuisine dont les jésuites ne se servaient pas. Quant aux appartements du frère Quinn, ils étaient adjacents à l'infirmerie et comportaient une grande chambre, un petit salon, une cuisinette et une salle de bains. L'infirmerie comme telle était idéale, compte tenu de «l'expertise» médicale du frère Quinn. On y retrouvait un dispensaire et deux petites salles pour les examens.

Il y avait aussi un autre édifice réservé au personnel, qui abritait une grande salle à manger avec de belles fenêtres, une cuisine de bonnes dimensions et une salle de bains. Il y avait aussi au bout de la salle à manger un grand espace inutilisé, que le père Mackey transforma en chapelle après avoir fait installer une cloison. Elle pouvait accueillir 20 personnes (les professeurs indiens étaient pour la plupart chrétiens).

La plupart du temps, les deux génératrices permettaient aux jésuites de laisser de coté les bougies et lampes au kérosène peu commodes à utiliser. Comme la Dantak utilisait également cette source d'électricité, ils avaient assigné un homme pour s'occuper des génératrices et, sauf pour les occasions spéciales, il y avait du courant électrique tous les soirs de six heures à neuf heures. En hiver, le père Mackey et les autres pouvaient maintenant savourer le plaisir du chauffage électrique grâce aux petits appareils rudimentaires qu'ils s'étaient procurés en Inde. Ils n'étaient pas très utiles dans les grandes pièces, mais dans les petites elles représentaient une bonne alternative aux foyers mal conçus et inefficaces. Après neuf heures, une fois le courant interrompu, tout le monde se dépêchait d'aller au lit pour se garder au chaud.

Même après l'ouverture de l'école Sherubtse à Kanglung en mai 1968, William Mackey demeura le directeur de celle de Tashigang, qui était maintenant devenue une institution de niveau secondaire. Un des professeurs en avait pris en charge la gestion au jour le jour, et le père Mackey effectuait une visite au moins une fois par semaine. En plus de ses responsabilités d'administrateur, le jésuite y enseignait les mathématiques à la classe de dixième année. Il devait souvent faire la route à pied entre les deux villages, car la jeep n'était pas toujours disponible. Par ailleurs, l'état de la route ne permettait pas toujours l'utilisation d'un véhicule, surtout durant la mousson.

Lorsqu'il devait marcher pour se rendre à Tashigang, le père Mackey quittait Kanglung après la deuxième heure de cours le vendredi et se dirigeait rapidement vers la rivière Bamri chu qui coulait dans la principale vallée entre Kanglung et Tashigang. Lorsque la rivière n'était pas trop profonde, le jésuite se déshabillait et traversait la rivière en tenant ses vêtements au-dessus du niveau de l'eau. Une fois sur l'autre rive, il se rhabillait et pouvait dévaler la pente vers Tashigang sans trop d'efforts. Cette excursion à pied lui prenait environ une heure. Le retour, le lendemain, était cependant moins facile. Il fallait cette fois marcher sur une pente ascendante, et le voyage pouvait durer de trois à quatre heures.

Le déménagement à Kanglung avait coïncidé avec un changement dans le code vestimentaire des jésuites, dorénavant beaucoup moins strict. La soutane n'était pas un vêtement bien adapté à la région, et il était presque impossible de la garder propre. Pendant la saison des pluies par exemple, elle traînait toujours dans la boue. Cette révolution vestimentaire s'était fait longuement attendre au Bhoutan. Ailleurs, dans les décennies précédentes, la soutane avait été abandonnée au profit de vêtements plus contemporains. Cette réforme avait tardé au Bhoutan car, dans ce pays, on était très soucieux en général de protéger les traditions. Les jésuites du Bhoutan acceptèrent ce changement de tenue avec joie. Le père Mackey exigea cependant des jésuites et des professeurs qu'ils portent un veston et une cravate durant les heures de classe. Les prêtres ne porteraient dorénavant la soutane que pour des occasions très spéciales.

Tout était passablement nouveau à l'école Sherubtse, mais les problèmes administratifs demeuraient les mêmes. Par exemple, il fallait encore faire preuve de beaucoup d'ingéniosité pour nourrir les garçons. Le père Mackey recevait une allocation pour chacun des étudiants avec laquelle il achetait les marchandises. La nourriture de base restait la même : riz, dhal et légumes. Le riz et le dhal étaient acheminés par camion de Samdrupjongkar, ce qui causait parfois des inconvénients. Les camions transportaient des cargaisons diverses, ainsi que des passagers qui avaient souvent avec eux des récipients contenant du kérosène. Si l'un de ces récipients venait à couler, ce qui était fréquent, les émanations de pétrole rendaient le riz impropre à la consommation. À plusieurs reprises, les étudiants refusèrent de manger la nourriture altérée par le kérosène. Dans ce cas, il fallait jeter des sacs entiers de riz ou encore s'en servir pour nourrir les porcs. Quant aux légumes, ils provenaient du jardin de l'école. L'approvisionnement dépendait donc de la saison, et le choix n'était varié qu'en août et en septembre, à la fin de la mousson. En dehors de cette période, les légumes les plus usuels étaient les pommes de terre et une variété locale d'épinards.

Il n'y avait pas souvent de viande au menu pour les écoliers, pas plus d'une fois par semaine. William Mackey achetait celle-ci aux fermiers locaux, à condition que les prix soient abordables. Lorsqu'une vache mourait, le fermier rendait visite au jésuite pour la lui offrir. Le père Mackey faisait ensuite une petite enquête pour déterminer la cause de la mort. Si la bête était morte à la suite d'un accident, par exemple en tombant dans un ravin, elle était probablement saine pour la consommation. Il faut noter que les bouddhistes bhoutanais ne tuent jamais leur bétail (sauf des porcs, à l'occasion). Certains étrangers prétendaient par conséquent que les fermiers aidaient les vaches à «tomber» dans les ravins car, paradoxalement, les Bhoutanais adoraient manger de la viande. Chez les bouddhistes, les porcs se trouvent par contre tout au bas de la hiérarchie des êtres vivants. Quelques fermiers bhoutanais tuaient les porcs lorsqu'ils désiraient obtenir de la viande, mais ils essayaient toujours de trouver une âme charitable qui ferait le travail pour eux.

Le père Mackey essaya d'élever quelques porcs sur les terrains de l'école. On les nourrissait avec les nombreux restes de la cuisine, ce qui représentait un moyen économique de les engraisser. À un certain moment, il y avait 30 de ces animaux à l'école. Les vacances d'hiver causaient cependant un problème. Les jésuites ne conservaient alors que quelques truies enceintes pour s'assurer d'avoir à nouveau quelques bêtes à engraisser l'année suivante. On ne mangeait les porcs élevés à l'école que lors d'occasions très spéciales, surtout vers la fin de l'année scolaire.

L'approvisionnement en bois représentait un autre défi majeur pour les administrateurs de l'école. En effet, tous les fours de la cuisine fonctionnaient au bois. Au début, le père Mackey utilisa les mêmes techniques de collecte qu'à Tashigang : il envoyait les écoliers ramasser le bois à flanc de montagne. Toutefois, après une seule année, le bois se faisait de plus en plus rare. Pousser plus loin la cueillette aurait signifié un empiétement sur les terres utilisées par les cultivateurs, dont ils étaient dans certains cas les propriétaires. Les fermiers déposèrent quelques plaintes, et le père Mackey dut se résoudre à trouver une autre solution pour approvisionner l'école en bois.

L'allocation par étudiant fut alors augmentée, et le père Mackey décida d'acheter son bois au ministère des Forêts. Il obtint une concession où il pouvait couper tout le bois nécessaire au fonctionnement de l'école. Toutefois, ce lot était beaucoup trop loin pour demander aux garçons de faire le transport. Le jésuite engagea donc un agent qui s'occupait d'amener le bois jusqu'à l'école. Le paiement se faisait au chargement de camion : 200 roupies par chargement (environ 25 dollars à l'époque).

Le mode de paiement pour toutes les marchandises livrées à l'école suivait une procédure relativement compliquée. L'école Sherubtse possédait un compte bancaire à la succursale de la State Bank of India à Gauhati. Le ministère de l'Éducation expédiait les bons à vue à cet endroit, et on envoyait ensuite un radiogramme au père Mackey pour l'avertir que les sommes étaient arrivées. Tous les problèmes n'étaient cependant pas réglés. Gauhati se trouvait à quatre jours de route de Kanglung. Fort heureusement, il n'y avait pas encore de poste de douane à la frontière, et William Mackey pouvait la franchir sans trop de difficultés.

En 1972, la Banque du Bhoutan ouvrit une succursale à Samdrupjongkar et une autre à Tashigang quelques années plus tard. Cela facilitait énormément les transactions (lorsque les coffres de la banque n'étaient pas à sec, ce qui arrivait à l'occasion). L'ouverture d'une succursale à Tashigang offrait un autre avantage non négligeable. Le gérant de la banque, un dénommé Pasang, était un ancien élève du père Mackey à North Point et il avançait sans hésitation de l'argent aux jésuites quand ils en manquaient, dans l'attente du versement de leur allocation. Ces prêts atteignaient parfois 20 000 roupies. Les gérants suivants furent également, dans l'ensemble, tout aussi coopératifs, car l'école Sherubtse représentait le plus gros client de la banque.

Chapitre 8

EN NOVEMBRE 1968, PEU AVANT LA FIN DE LA PREMIÈRE ANNÉE scolaire à l'école Sherubtse, les étudiants sous la direction du père Mackey préparaient leurs examens d'immatriculation. Cette session s'adressait aux étudiants de dixième de Tashigang, mais elle avait lieu à l'école Sherubtse. À la mi-décembre, on annonça les résultats. Des vingt écoliers qui avaient passé l'examen, un obtint une première mention, dix-huit, une deuxième mention et le dernier, une troisième mention. Aucun d'entre eux n'avait échoué.

Dans un avenir rapproché, plusieurs de ces étudiants allaient occuper des postes importants au sein du gouvernement bhoutanais, dont Lhatu Wangchuk qui fréquentait la maternelle de Tashigang en 1963 à l'arrivée du père Mackey au Bhoutan. Lhatu Wangchuk avait déjà 11 ans à cette époque, et tout portait à croire qu'il ne terminerait jamais ses études. À un rythme normal, il aurait atteint la classe de dixième à l'âge de 21 ans. Mais le père Mackey avait vu en lui un garçon intelligent et très travailleur, et il avait préparé un plan afin qu'il saute des étapes. M. Kharpa, le directeur de l'école avant l'arrivée du jésuite, était toutefois issu du système indien, très conservateur, et il voulait que Lhatu fasse ses deux années de maternelle. «Rien à faire M. Kharpa, dit le père Mackey. Je le place dès maintenant en première année».

Comme William Mackey était le grand patron, Lhatu passa directement en première année, puis en troisième, cinquième, septième et, finalement, en dixième. Il ne faisait plus aucun doute que le garçon pouvait abattre une grande somme de travail. Il était en outre toujours disposé à demeurer à l'école durant les périodes de vacances pour effectuer des corvées ou encore pour suivre des cours de soutien donnés par les jésuites. Ces derniers étaient toujours prêts à accorder du temps aux étudiants qui affichaient un tel désir d'apprendre. Lorsque le père

Mackey avait besoin d'un dactylo, il demandait souvent à Lhatu. Cela aidait le garçon à perfectionner son anglais, et l'argent gagné ainsi n'était pas à dédaigner. Lhatu accompagna même le père Mackey à Hasimara lors d'une visite chez Dawa Tsering. Ce fut un moment très important dans la vie du jeune étudiant.

Alors que la première séance avec Dawa Tsering s'achevait, le père Mackey fit venir Lhatu pour lui donner des instructions. Il voulait que son jeune protégé classe les notes d'une certaine façon et qu'il les dactylographie. Lhatu sortit ensuite de la pièce. «Ce garçon est-il vraiment capable d'effectuer tout ce travail?» demanda Dawa Tsering au jésuite. «Attendons un peu, et vous serez en mesure de constater par vous-même.»

Dawa Tsering fut très impressionné par le travail du garçon. Si Lhatu n'avait plus été en classe, il l'aurait probablement engagé sur-le-champ. Mais l'étudiant retourna à Kanglung en compagnie de William Mackey afin d'étudier pour ses examens. Il demeura deux autres années à l'école après avoir terminé ses études, puis il se rendit à Thimphu avec en poche une lettre de référence du père Mackey. Il désirait poursuivre ses études à un niveau supérieur. Dawa Tsering engagea le jeune homme après avoir appris qu'il était libre, et l'envoya à Mysore, dans le sud de l'Inde, afin qu'il obtienne son baccalauréat. Lhatu travailla par la suite au ministère des Affaires extérieures, où il eut l'occasion d'occuper plusieurs postes à l'étranger. Il étudia également pendant une année au Royaume-Uni et, alors qu'il était en poste aux États-Unis, il poursuivit ensuite ses études à l'université le soir. Au début des années 90, Lhatu était le représentant permanent du Bhoutan à l'Organisation des Nations unies à New York.

L'âge constituait le premier critère d'admission à l'école Sherubtse. Il n'était pas rare au Bhoutan de trouver des adolescents, comme Lhatu Wangchuk, à l'école primaire. Mais le père Mackey et ses collègues voulaient éviter une telle situation à Sherubtse. Autant que possible, ils désiraient que l'âge des écoliers correspondent à leur niveau scolaire normal. Les garçons qui ne répondaient pas à ce critère devaient poursuivre leurs études à l'école de Tashigang.

Ainsi, un garçon de sept ans se présenta un jour à Sherubtse afin d'être admis à l'école. William Mackey le jugeait particulièrement intelligent et décida de l'accepter comme élève. Toutefois, malgré sa grande intelligence, il était encore un jeune garçon, pas toujours très obéissant. Le père Mackey dut même le punir un jour et lui donna quelques coups avec une baguette de bambou. Comme il le faisait toujours après avoir donné une punition, le jésuite fit venir l'écolier à son bureau un peu plus tard pour lui confier une tâche spéciale. Quand celui-ci avait bien fait son travail, il le félicitait en lui donnant une récompense.

Environ un an après l'admission du jeune garçon, trois jeeps de l'escorte royale arrivèrent à l'école Sherubtse transportant une douzaine de personnes. Ils étaient pour la plupart des moines de rang supérieur et des lamas. Un officier qui les accompagnait expliqua au père Mackey que l'on croyait que le jeune élève en question était la réincarnation de Dzongsar Khyentse Rinpoche, un lama tibétain très important mort en 1959. La délégation était venue à Kanglung afin de l'observer. Ils désiraient lui poser quelques questions et lui montrer certains objets. Ses réponses permettraient de déterminer s'il était bien la réincarnation du grand lama.

Après quelques jours, l'officier annonça au père Mackey qu'ils emmenaient le garçon avec eux. Les moines et les lamas avaient reconnu le grand lama. Ils conduisirent l'enfant au monastère d'Enchey à Gangtok, au Sikkim, pour son couronnement. Dorénavant, son éducation suivrait la tradition monastique. Un an plus tard, le père Mackey apprit que le garçon, maintenant le Dzongsar Khyentse Rinpoche, devait se rendre à Tashigang en passant par Kanglung. Le grand lama voyageait sur un palanquin porté par des moines et, lors de son passage, les étudiants de Sherubtse s'alignèrent aux abords de la route pour l'accueillir et lui rendre hommage. La procession s'arrêta devant William Mackey. Celui-ci se demandait bien ce qui se passait. Une pensée traversa son esprit : «Je me demande s'il se souvient de la baguette de bambou». Le jeune Rinpoche et un lama de rang supérieur s'approchèrent du jésuite et lui placèrent chacun une écharpe blanche autour du cou. Le père Mackey, en tant qu'ancien professeur de Dzongar Khyentse Rinpoche, méritait d'être honoré comme tel.

Le jeune Rinpoche et le père Mackey devinrent par la suite de bons amis. Lorsque le lama allait au Bhoutan oriental visiter sa famille maternelle, il arrêtait presque toujours à Kanglung pour prendre le temps de saluer le jésuite. Ce dernier, lorsqu'il allait à Thimphu, faisait de même. Plus tard, une fois adulte, Dzongsar Khyentse Rinpoche s'enquit auprès de William Mackey du meilleur endroit pour apprendre la théologie chrétienne. Le jésuite en fut très étonné, mais le jeune homme le rassura aussitôt : «Ne vous inquiétez pas mon père, je ne veux pas me convertir au christianisme». Le lama désirait élargir ses connaissances du bouddhisme en comparant la relation entre le sens et les mots dans les religions, dont le christianisme, puisque celles-ci expriment souvent la même réalité, mais de façons différentes. «Il expliquait sa conception d'une façon très claire, dit William Mackey. Il disait que les différences entre les religions catholique, protestante, bouddhiste et juive, se retrouvent souvent dans le choix des mots. La réalité est la même, mais dans notre désir de l'exprimer nous l'interprétons différemment.»

Cette quête pour élargir ses connaissances emmena Dzongsar Khyentse Rinpoche à voyager en Asie, en Amérique, en Europe et même en Australie. Le père Mackey, lorsqu'il réfléchissait à cette histoire hors du commun, se rappelait surtout l'arrivée des moines à Sherubtse venant évaluer le jeune garçon. «Ils ont vraiment choisi une personne extraordinaire, conclut-il. Je ne sais pas si la réincarnation est une chose possible. Mais je sais qu'ils ont choisi un homme bon, brillant et très stable.»

La prière était et demeure un aspect important de la vie scolaire au Bhoutan. Il y a deux prières par jour : la première lors de la réunion de tous les élèves avant les classes et la seconde plus tard dans la journée. À l'arrivée du père Mackey, il y avait en plus une prière tôt le matin supervisée par les *lopens*. Ces derniers étaient pour la plupart d'anciens moines qui étaient devenus professeurs de langue bhoutanaise parce qu'ils pouvaient lire et écrire le choekey. Comme les prières étaient en général écrites dans cette langue, ils étaient donc tout désignés pour superviser les séances. La prière matinale avait généralement lieu après le réveil et la toilette des garçons, tout juste avant le déjeuner et la période d'études. La longueur des prières pouvaient varier selon le lopen qui la dirigeait. Le lopen Phuntsho, à Mongar, était reconnu pour ses prières qui pouvaient durer une heure. Les enfants devaient donc se lever à 4 h 30 pour y assister. La situation était similaire à Tashigang quand William Mackey entra en fonction. Avec le temps, le jésuite réussit à réduire la longueur de ces prières à quinze ou vingt minutes. Le ministère de l'Éducation, depuis quelques années, a éliminé la période de prière à l'aube.

Le père Mackey éprouvait un intérêt sincère pour le bouddhisme.

Il assistait souvent à la prière du soir et insistait pour que chaque étudiant possède son propre recueil de prières. Ce livre coûtait sept roupies (environ un dollar). Pendant que les élèves lisaient dans leur recueil écrit en choekey, le jésuite, lui, lisait dans son bréviaire. Il aimait beaucoup l'expérience, car on sentait que cela créait une véritable ambiance de recueillement. Quant aux jeunes, la présence du prêtre renforçait chez eux l'idée de la prière. L'insistance du père Mackey pour que chaque étudiant possède son livre de prières n'avait pas un but uniquement religieux. Il savait que le fait de lire en choekey deux fois par jour faciliterait chez les étudiants l'apprentissage des langues. Après quelques années de cette discipline, ils en seraient tous bénéficiaires.

Même si le jésuite s'intéressait beaucoup au bouddhisme, il laissait aux lopens l'enseignement et la pratique de la religion. Il croyait aussi, personnellement, qu'il avait besoin à ses côtés d'une personne, un guide, qui connaissait bien le Bhoutan et sa culture pour l'aider dans ce domaine. Bien qu'il ne fût pas un professeur de langue, M. Kharpa fut le premier bras droit du jésuite à Tashigang et, lorsque le père Mackey déménagea à Kanglung, M. Kharpa le suivit à titre de professeur principal. Celui-ci n'était toutefois plus un jeune homme. Un jour de 1970, en passant dans le couloir près d'une classe, William Mackey entendit un grand désordre provenant de l'intérieur de la pièce. Il ouvrit la porte et vit le pauvre M. Kharpa assis à son bureau, la tête entre les mains. Les élèves se turent à l'entrée du jésuite, qui s'approcha de l'enseignant et lui demanda s'il était malade. Un silence de mort régnait maintenant dans la pièce. «Je ne suis pas malade, répondit celui-ci. Mais je ne suis plus en mesure de les contrôler».

Quelques jours plus tard, le roi était en visite au Bhoutan oriental pour l'ouverture de la nouvelle route entre Tashigang et Mongar. Le père Mackey profita de sa présence pour lui parler de la retraite de M. Kharpa. Il demanda également une pension en son nom et le roi accepta. «Cet homme le mérite bien, dit le jésuite. Il a accompli beaucoup pour l'éducation dans ce pays, comme beaucoup d'autres *lopens* comme lui.»

Avec le départ de M. Kharpa, le père Mackey perdait son guide et son professeur. Il lui fallait trouver un remplaçant. «Je connais un homme qui ferait l'affaire, lui dit Tamji Jagar, mais son écriture est affreuse.» «Si ce n'est qu'une question d'écriture, ça ne peut pas être pire que dans mon cas, répliqua le jésuite. J'ai la plus mauvaise écriture qui soit.» C'est ainsi que fut choisi Lopen Jamphel Dorje comme nouveau bras droit du père Mackey.

Plusieurs années auparavant, Dorje avait été moine au monastère de Bumthang. Lorsque la direction de ce monastère décida d'envoyer des moines à Lhassa, au Tibet, afin de poursuivre leurs études religieuses, Dorje avait espéré de tout son coeur être parmi les élus. Malheureusement pour lui, il ne fut pas choisi. Il quitta néanmoins le monastère et se rendit à Lhassa de sa propre initiative. Il y resta plus de douze années et devint un expert de la langue choekey. Au Bhoutan toutefois, il était devenu une sorte de renégat pour avoir quitté le monastère sans autorisation. Au monent de l'invasion du Tibet par la Chine en 1959, Lopen Jamphel dut s'enfuir de Lhassa pour revenir au Bhoutan. On le considéra comme un fugitif, et il fut détenu au monastère de Tashigang pendant environ un an. Mais il était traité un peu comme un prisonnier «d'honneur», et on le déchargea finalement de ses obligations envers la communauté des moines. Malgré tout ce qui lui était arrivé, il demeura durant tout ce temps un homme très religieux.

Le père Mackey considérait Lopen Jamphel comme un homme érudit, sensible et réaliste. Ses connaissances du bouddhisme et de la culture bhoutanaise, tant celle du nord que du sud, étaient encore plus vastes que celles de M. Kharpa. Il avait une facilité toute particulière pour faire comprendre le sens des jours saints et des fêtes bouddhistes aux élèves. Très souvent, les fêtes comme le Tshechu, jours commémorant l'ascension ou la descente de Bouddha, étaient observées sans pour autant que l'on sache vraiment pourquoi. Par ailleurs, même si la majorité des lopens en comprenaient le sens, ils étaient incapables de l'expliquer clairement aux étudiants. Lopen Jamphel, au contraire, parlait aux jeunes avant chaque fête pour leur apporter une toute autre compréhension de la célébration. Il agissait de même pour les écrits et les prières en fournissant des explications toujours très utiles et pertinentes aux écoliers.

Sur le plan de la discipline, Lopen Jamphel apportait une double contribution. Premièrement, sa grande réputation d'honnêteté et de quasi-sainteté lui permettait d'infliger des sanctions sans pour autant inspirer la révolte chez les élèves. Et deuxièmement, facteur encore plus important, il comprenait la culture et l'esprit des Bhoutanais, si difficiles à saisir pour un étranger mais qui expliquent si bien leur comportement. Il savait pourquoi les écoliers agissaient d'une telle façon plutôt qu'une autre. Ce qui pouvait paraître de la méchanceté à un étranger, il pouvait l'expliquer d'une toute autre manière. Il fut d'une grande aide au père Mackey durant toute leur collaboration.

Lopen Jamphel fit également une importante contribution dans la mise en valeur du dzongkha à l'école Sherubtse. Plutôt que d'interdire l'utilisation de la calligraphie choekey pour l'écriture du dzongkha, il contribua au contraire à l'intégrer. Il consacra une grande somme de travail pour rendre ce langage plus simple et plus fonctionnel. Par ses grandes connaissances dans le choix des textes, Lopen Jamphel fut l'un des instigateurs de l'enseignement du dzongkha après la dixième année scolaire.

En 1968, William Mackey profita de ses vacances annuelles pour faire l'acquisition d'une motocyclette tchécoslovaque de marque Jawa. Pour ce pays de montagnes, le jésuite voulait un véhicule plus puissant que son ancien scooter. La Jawa ne se compare peut-être pas avec les modèles d'aujourd'hui, mais c'était néanmoins beaucoup mieux qu'un scooter. Il acheta la moto à Darjiling et entreprit sur-le-champ son périple de retour. En cours de route, il arrêta à Samtse, où il donna un cours de trois semaines en mathématiques aux étudiants de deuxième. Pendant son séjour dans cette ville, le père Mackey reçut la visite du directeur de la distillerie locale. Il le connaissait bien, car quelques années plus tôt il l'avait aidé à faire entrer ses petits-fils dans les bonnes écoles de Kurseong. Le directeur, pour le remercier, voulait lui offrir un échantillon de tous ses produits. Le jésuite se retrouva avec douze bouteilles bien casées dans une grande caisse. Il réussit à attacher la caisse à l'arrière de sa moto, avec ses autres bagages, et reprit la route en direction de Kanglung.

L'Inde est composé de plusieurs États, et on retrouve fréquemment aux frontières de ceux-ci des postes de douaniers pour percevoir des taxes sur le commerce entre les États et empêcher les importations illégales. Il existe un tel poste entre les États du Bengale-Occidental et de l'Assam. Ce dernier était un État «sec», l'alcool y étant interdit. Toutefois, seuls les camions devaient s'arrêter obligatoirement au poste frontières. Le père Mackey sur sa moto aurait pu passer en coup de vent, mais il voulait s'arrêter pour prendre un repas dans un bon petit restaurant de cuisine du Panjab qu'il connaissait.

Cet établissement était situé tout près de la frontière. Le jésuite mangea à une table placée à l'extérieur pour profiter du soleil hivernal. En terminant son thé, il vit un policier de l'Assam sortir du poste et se diriger vers sa moto. Celui-ci inspecta le véhicule de William Mackey, puis il dirigea vers son bureau.

William Mackey se rendit compte à ce moment de sa distraction. En gros caractères sur la caisse, étaient inscrits les mots «Bhutan Distillery». Que devait-il faire? Tout en surveillant du coin de l'oeil le poste de douane, le prêtre paya son repas et attendit que le garde se soit éloigné un peu. Lorsque l'occasion se présenta, il sauta sur sa motocyclette, mit le contact et poussa le moteur à fond. En s'éloignant à la vitesse de l'éclair, il prit le temps de saluer le garde de la main. Une fois en sécurité, il s'arrêta près d'un cours d'eau pour enduire de boue la caisse contenant les bouteilles d'alcool. Il poursuivit ensuite sa route sans encombres jusqu'à Tashigang.

Quelques jours après son arrivée à Kanglung, le jésuite eut l'occasion de se rendre compte des dangers inhérents à la conduite d'une motocyclette. Pour éviter un véhicule venant en sens inverse, il quitta la route et fit une courte randonnée périlleuse de moto-cross, qui se termina par une spectaculaire pirouette. Fort heureusement pour lui, il atterrit sur les pieds et roula dans l'herbe. Ses blessures n'étaient pas trop graves : une contusion au genou et une fracture d'un doigt.

Le roi effectuait une visite au Bhoutan oriental une fois par année. La Dantak l'invitait à chaque fois qu'ils inauguraient un tronçon de route ou un nouveau bâtiment à l'école Sherubtse. Durant sa visite, Sa Majesté ne ratait jamais une occasion de passer quelque temps avec le père Mackey. Ils parlaient quelquefois de sujets sérieux, comme l'éducation, mais ils se contentaient souvent de discuter amicalement et de plaisanter à propos de tout et de rien.

En 1970, Sa Majesté Jigme Dorji Wangchuk devait assister à l'ouverture officielle de la route entre Tashigang et Mongar. Pendant son séjour dans la région, il s'installerait à Sherubtse. Dawa Tsering appela le père Mackey de Samdrupjongkar, sur la ligne de la Dantak, pour demander au jésuite s'il avait prévu quelque chose de particulier pour la visite du roi. Le père Mackey demanda une rencontre d'une heure avec le souverain. Il voulait en outre que celui-ci rende visite à chacune des classes.

Le jour de l'inauguration officielle de la route, le roi fit monter dans sa jeep les capitaines de l'école Sherubtse. Le roi devait s'adresser à la foule en dzongkha, mais il voulait des traducteurs avec lui, puisque les Indiens qui travaillaient au chantier ne pouvaient comprendre cette langue. Il demanda au capitaine de l'école, un garçon très intelligent nommé Bidung Tashi, de traduire son discours en anglais. Le jeune élève était terrorisé, car il n'était après tout qu'en sixième année. Il fit néanmoins un travail remarquable et impressionna à ce point le roi que ce dernier lui demanda de traduire en dzongkha le discours en anglais du brigadier général indien. (Tashi Bidung allait poursuivre ses études et devenir plus tard chef du département des Mines du Bhoutan).

Durant l'après-midi, le roi s'adressa aux élèves à l'auditorium de l'école Sherubtse. Les responsables de la Dantak désiraient assister à cette réunion, mais le roi avait refusé leur demande en disant : «Cela se passera uniquement entre les étudiants bhoutanais et moi». William Mackey serait le seul étranger admis dans la salle. Le roi et le jésuite prirent place sur la scène de l'auditorium, puis Sa Majesté fit un bref discours sur la valeur d'une bonne formation. Il demanda ensuite aux jeunes s'ils avaient des questions à lui poser. Le père Mackey, jamais pris au dépourvu, avait demandé à quelques élèves de préparer des questions pour le souverain. Les étudiants participèrent avec entrain au processus, et une bonne discussion s'ensuivit. Tous agissaient très naturellement et ne s'occupaient pas du *driglam namzha*. Selon ce code de conduite traditionnel, les garçons auraient dû pencher la tête et se mettre la main devant la bouche lorsqu'ils adressaient la parole au roi. Le roi écoutait ses jeunes sujets avec amusement et appréciait la façon dont ils s'exprimaient. La réunion dura deux heures et, pendant ce temps, les officiers indiens de la Dantak attendaient au froid à l'extérieur, en faisant les cent pas pour se réchauffer. Ils venaient pour la plupart des plaines et portaient des vêtements légers. Jamais ils n'avaient pensé qu'une rencontre entre un roi et une bande d'écoliers puisse durer aussi longtemps.

Durant son séjour à Kanglung, le roi prit le temps de visiter chacune des classes. Puis, un soir, pendant un concert, il pointa du doigt un jeune garçon au père Mackey assis à ses cotés : «Qui est-ce, mon père?» «C'est Thinley Tobgye. Pourquoi?» «Lorsque je parlais l'autre jour à l'auditorium, il ne semblait pas d'accord avec ce que je disais. Je l'ai vu secouer la tête. Demain, je vais à Yonphula. Ce garçon viendra avec moi.»

Après le concert, William Mackey alla voir l'élève en question et lui demanda ce qui était arrivé exactement. Le garçon rappela au jésuite que Sa Majesté avait comparé le Bhoutan à une jeep. «Je ne suis pas d'accord, dit-il. Il a dit que le Bhoutan est une jeep et le roi, les roues. Le ministre du Développement prend la jeep et la conduit sur la route du développement. Puis le type de l'agriculture prend la jeep et la conduit sur le sentier de l'agriculture. C'est pas vrai. Le roi, ce n'est pas les roues. Ce sont eux les roues. Lui c'est le pilote!»

Un père salésien visita l'école Sherubtse en 1970. Les salésiens avaient ouvert en 1965 l'école technique Don Bosco à Kharbandi, près de Phuntsholing, et ils voulaient en savoir plus sur le programme professionnel des jésuites à Kanglung. Il s'agissait d'un programme plutôt modeste élaboré par le frère Quinn, qui s'adressait à ceux qui ne désiraient pas participer au programme de sports. Le programme comprenait des cours pratiques, comme par exemple l'apprentissage de la dactylo ou les techniques du métier de tailleur. Ce programme n'avait toutefois pas autant d'ampleur que celui des salésiens à Don Bosco.

L'école technique des salésiens poursuivit son programme pendant quelques années. Elle jouissait d'une excellente réputation en Inde et, au Bhoutan, on espérait que les salésiens puissent fonder une institution semblable pour former les bons techniciens dont le pays avait grandement besoin. Toutefois, plusieurs difficultés, comme la qualité des étudiants recrutés, un désaccord sur la formation académique et le penchant des salésiens pour l'apostolat, menèrent à un conflit ouvert avec les autorités bhoutanaises. Dix ans après son ouverture, le collège devint l'École technique de Kharbandi et perdit graduellement toute affiliation avec les salésiens.

La visite d'une représentante d'un autre ordre religieux aida à apporter des changements importants à l'école Sherubtse. En effet, le gouvernement désirait que l'on accepte des filles comme étudiantes à Kanglung, et le père Mackey n'y voyait aucun inconvénient. Mais il voulait que des religieuses s'en occupent. Il invita donc la mère provinciale des Soeurs de Saint-Joseph de Cluny pour discuter de la possibilité d'envoyer des religieuses au Bhoutan. À cette époque, Sherubtse comptait 134 garçons dans des classes allant de la première à la cinquième, avec 27 élèves en moyenne par groupe. L'accès à l'école, au Bhoutan, était beaucoup moins répandu chez les filles que chez les garçons, et il n'y avait aucun pensionnat pour les étudiantes.

Quatre religieuses de Saint-Joseph de Cluny arrivèrent à Sherubtse au début de 1970 pour s'occuper des premières étudiantes inscrites à cette école. L'arrivée des filles dans l'institution d'enseignement modifia certains comportements chez les garçons qui la fréquentaient déjà. Auparavant, ces derniers ne portaient aucune attention à leur apparence. Non pas qu'ils étaient vraiment sales, mais leur tenue était toujours débraillée. Avec des filles maintenant à l'école, les garçons s'assuraient que leurs vêtements étaient propres, et qu'il n'y avait aucun pli sur leur *go*. «L'arrivée des filles, remarqua le père Mackey, a eu une influence certaine sur le comportement des garçons.»

Mère Peter Claver, la Supérieure des religieuses, était connue de la famille royale puisqu'elle avait enseigné à la reine Ashi Kesang à Kalimpong. La Mère supérieure avait une personnalité qui reflétait à la fois la bienséance et une attitude réaliste. Son regard pouvait être à la fois perçant et lucide ainsi que chaleureux et amical. Elle venait d'une riche famille européenne et, après de brillantes études, elle était devenue une linguiste émérite. Elle possédait également de bonnes connaissances en musique et en art. Il ne faisait aucun doute qu'il s'agissait d'une intellectuelle et, comme le disait le père Mackey, une admiratrice de la beauté. Le fait qu'elle provenait d'un milieu aisé la plaça quelquefois dans des situations amusantes dans un pays rural et simple comme le Bhoutan. En effet, elle ne comprenait pas toujours les réactions de la population, et William Mackey devait parfois intervenir pour les lui expliquer et ainsi éviter les situations embarrassantes.

Les symboles phalliques sont très courants au Bhoutan et peuvent surprendre les visiteurs qui n'y sont pas habitués. Quant au père Mackey, il avait maintenant l'habitude de voir des représentations peintes ou en bois des organes sexuels mâles sur les murs extérieurs des demeures. Même s'il connaissait les coutumes bhoutanaises, le jésuite fut néanmoins frappé de stupeur à sa première visite à Rangchikhar, un village au nord de Tashigang, en voyant un énorme pénis de bois sur une table.

De son côté, mère Peter eut droit à son initiation lors d'une fête appelée le Tshechu. Accompagnant les danseurs et les *gelongs* (moines), il y avait des hommes que l'on appelait *atsaras* (genre de bouf-fon). Leur attirail comprenait la plupart du temps un pénis d'environ trente centimètres qu'ils portaient suspendus à leur front ou encore dans la main et dont ils se servaient pour donner la bénédiction. Du-rant la fête, un des *atsaras* courait à gauche et à droite avec son pénis en bois pour provoquer les femmes, lorsqu'il tomba tout à coup sur mère Peter. Elle fit «Oh!» et baissa les yeux. Elle récupéra toutefois rapidement et releva la tête pour regarder le bouffon droit dans les yeux.

Une autre fois, mère Peter accompagnait le père Mackey pour une visite à Phongmey Dungpa, qui construisait une nouvelle maison pour sa famille. À chaque angle du toit, il avait accroché un long pénis de bois. Mère Peter, surprise, questionna le père Mackey : «S'agit-il de ce que je crois?» «Oui, ma mère», répondit le jésuite. «Très bien», fit la religieuses. Heureusement, la Supérieure et les sœurs étaient des personnes pleines de bon sens. «Elles comprenaient la vie et n'étaient pas des prudes, dit le père Mackey. Elles avaient toujours une attitude très correcte en présence des hommes mais comme nous, les pères, faisions des blagues ensemble, elles avaient aussi probablement les leurs. Lorsque nous étions tous ensemble, rien n'y paraissait. C'était des femmes terre-à-terre et très fortes.»

Les Bhoutanais étaient familiers avec le célibat des religieux, puisqu'il y a aussi des moines et des *animos* (religieuses) dans la reli-gion bouddhiste. Toutefois, ils ne comprenaient pas du tout la relation qui existait entre les prêtres et les religieuses chrétiens. Le père Mackey s'en rendit compte un jour, lors d'une courte excursion à Rong Tong qu'il fit en compagnie de mère Peter. M. et Mme Namchu devaient les rejoindre à Khiri, à la pompe à essence, pas très loin de Tashigang. Le père Mackey et mère Peter arrivèrent les premiers à Khiri. Comme la température était plutôt fraîche, ils décidèrent d'attendre leurs amis près du pont où ils seraient à l'abri du vent. Quand leurs amis les rejoignirent quarante minutes plus tard, M. Namchu riait aux larmes. «Que se passe-t-il donc encore?» demanda le jésuite. M. Namchu ré-pondit : «Le pompiste nous a raconté que le père Mackey et sa femme nous attendait au pont. Pour lui, ça ne faisait aucun doute qu'elle était son épouse, puisque c'est mère Peter qui décidait de tout!»

Chapitre 9

WILLIAM MACKEY REÇUT TRÈS PEU DE VISITEURS DURANT LA PÉRIODE OÙ il dirigea l'école de Tashigang. À Kanglung, par contre, il en était tout autrement. D'une part, l'école Sherubtse qu'il y avait fondée était devenue un objet de fierté tant pour le gouvernement du Bhoutan que pour les officiers de la Dantak. Au cours des ans, de nombreuses personnes se déplacèrent donc afin de visiter cette institution. Et d'autre part, cette institution représentait pour la compagnie de Jésus la «véritable œuvre» du père Mackey. En effet, les autorités l'avaient recruté pour implanter et gérer cet établissement. C'est pourquoi, dès l'ouverture de l'école, plusieurs jésuites de Darjiling s'empressèrent de venir voir la réalisation de leur collègue. Et ils repartaient toujours impressionnés par la qualité des installations.

En novembre 1970, peu avant une visite du roi du Bhoutan, l'école Sherubtse reçut la visite d'un jésuite tout à fait spécial. Il s'agissait du père Sheridan, un théologien venu directement du Vatican à Rome, où il occupait le poste d'adjoint du Supérieur général de la compagnie de Jésus. Celui-ci était un ami de longue date et un ancien compagnon de classe du père Mackey. Les deux prêtres étaient des «gars de Montréal» et avaient grandi ensemble dans le quartier Saint-Henri de cette ville. Ed Sheridan avait trois ans de plus que le père Mackey et avait d'abord étudié à l'université avant de joindre les jésuites. Ainsi, à Guelph, il avait été l'un des étudiants du père Mackey même s'il était plus âgé que lui.

Le père Sheridan était en visite à la mission des jésuites canadiens à Darjiling, laquelle était sous sa supervision à Rome. Une fois en Inde, il décida de pousser un peu plus loin son voyage et de se rendre au Bhoutan. À son arrivée, le père Mackey l'amena au dzong de Tashigang. En pénétrant dans l'imposante forteresse, le père Sheridan demanda, un peu inquiet : «Où allons-nous ainsi?» «Je vais vous présenter au grand leader, le *dzongdag*», répondit William Mackey.

En effet, l'administrateur en chef du district n'était plus le *thrimpon*, qui ne s'occupait plus que de l'administration de la justice, mais plutôt le dzongdag.

Le poste de dzongdag était occupé à l'époque par Kunsang Tangbi, qui reçut les deux jésuites chaleureusement. Mais il ne pouvait s'entretenir avec eux immédiatement et il leur dit : «Je suis très pris pour l'instant. Revenez dans une heure, nous prendrons le déjeuner.» En attendant l'heure du rendez-vous, le père Mackey décida de faire visiter la construction médiévale à son invité, et les deux prêtres s'engagèrent dans un passage obscur. «Où allons-nous maintenant?» demanda le père Sheridan. «Nous allons voir le Lam Neten, qui est un peu comme un père supérieur ici», répondit le père Mackey «Mais on ne peut pas aller comme ça rencontrer le supérieur d'un monastère», s'objecta le père Sheridan. Il nous faut une permission spéciale.» «Mais non, fit William Mackey. Nous ne sommes pas à Rome ici... Venez.»

Le père Mackey gravit un escalier, qui ressemblait plus à une échelle, et le père Sheridan éprouva quelques difficultés à le suivre. Il n'y avait pas d'électricité, et les petites fenêtres laissaient pénétrer très peu de lumière. «Il faut que tu enlèves tes chaussures, Butch», dit William Mackey quand ils arrivèrent à la porte du Lam Neten. (Butch était le surnom de Ed Sheridan quand il était étudiant à Montréal.) «C'est vraiment obligatoire?» demanda celui-ci. «Mais oui, fit son guide. Retire tes chaussures et ne discute pas, sinon tu ne pourras pas entrer dans cette pièce.» La porte était ouverte et le père Mackey fit signe au père Sheridan de le suivre. Ce dernier s'étonna encore une fois : «Tu entres sans frapper?» «Oui, dit son collègue. Personne ne frappe aux portes ici.»

Le père Mackey glissa la tête à l'intérieur de la pièce et demanda : «Lam Neten?» Celui-ci se précipita à la porte pour accueillir William Mackey, encore plus chaleureusement que ne l'avait fait le dzongdag un peu plus tôt. Il prit sa main et l'embrassa. Le jésuite lui remit le cadeau qu'il avait apporté et lui présenta le père Sheridan. Ensuite, les trois hommes s'assirent autour d'une table, et un serviteur leur apporta une grande théière de *suja*. Le suja peut déconcerter par son goût unique un étranger qui n'y est pas habitué. L'appellation de «thé» est souvent trompeuse pour un non-initié comme le père Sheridan. Celui-ci prit une gorgée, et sa réaction fut exactement celle à laquelle s'attendait son collègue. Un peu plus tard, lorsque le Lam Neten s'absenta un instant, le père Mackey prit la tasse de son ami et la but d'un seul trait.

Après avoir discuté un moment avec leur hôte, les deux jésuites prirent congé car le père Mackey voulait montrer le temple du dzong à son invité avant le déjeuner avec le dzongdag. Une fois à l'intérieur, il lui désigna une peinture murale en disant : «Je tiens à te montrer quelque chose à propos du bouddhisme. Tu vois cette peinture? Eh bien, c'est l'Immaculée Conception. L'Immaculée Conception des bouddhistes.» «Je ne comprends pas», dit le père Sheridan. «Oui, regarde bien. Le petit bébé sort du côté de la mère... C'est l'Immaculée Conception.» «Hum!» s'exclama le théologien.

Les deux jésuites examinèrent ensuite les scènes de la vie de Bouddha. Il y avait une peinture qui représentait la venue sur terre du dieu Bouddha. «Tu vois, Butch, dit le père Mackey, il est monté au Ciel pour enseigner le bouddhisme à sa mère, puis il est revenu sur Terre.» Le théologien de Rome en devenait un peu étourdi. Son ami lui fit une brève remontrance : «Tu ne connais pas vraiment la vie de Bouddha. Il est plus chrétien que nous ne le sommes.» Le père Sheridan dévisageait son compagnon et ne semblait pas en croire ses oreilles.

Les prêtres arrivèrent ensuite à la dernière scène, et le père Mackey lança à son collègue : «Regarde bien, Butch. Nous avons ici un résumé de la théologie chrétienne.» «Que veux-tu dire exactement?» demanda son compagnon. «Mais voyons, Butch! insista l'autre. Tu es aveugle ou quoi? Regarde! Que vois-tu là?» «Un homme qui semble dormir», dit le père Sheridan «Non, il agonise. Mais sur quoi est-il allongé, d'après toi? Regarde bien!» William Mackey pointa du doigt les rayons contenant des textes religieux; des volumes avec des pages non reliées, recouverts de tissu, attachés et empilés dans des casiers. «Ce sont les écrits. Il est couché sur les écrits. Quelle est l'origine de notre foi? La tradition et les Saintes Écritures. C'est ce qu'on m'a enseigné. Nous avons mis des années à étudier la tradition de l'Église et les écritures...»

Après avoir écouté William Mackey, plus rien ne pouvait surprendre Ed Sheridan. «Que vois-tu maintenant? poursuivit le père Mackey, qui faisait le grand inquisiteur. Quelle est l'autre source de la religion? La tradition. Les Saintes Écritures et la tradition. Nous avons ici la tradition.» «Mais où est-elle cette tradition?» demanda le père Sheridan. «Butch, rétorqua le père Mackey, que font tous ces gens que nous voyons sur la murale ?» Ed Sheridan répondit : «Ils pleurent... On dirait qu'ils sont tout tristes.» «C'est bien ça, dit son ami. Ce sont ses disciples qui iront prêcher ce qu'il leur a enseigné : la tradition. Vous, les théologiens, vous étudiez dans les livres et vous n'avez plus conscience de ce qui se passe vraiment dans le monde...»

La visite du père Sheridan se déroula donc sur un fond de débat théologique. Par contre, celle de Koley Lam, un expert dans l'étude de la société bhoutanaise, de sa tradition et des convenances, fut d'un autre type. Ce domaine d'études porte le nom de *driglam namzha* et forme une sorte de code qui définit la façon dont les gens doivent se comporter, particulièrement en ce qui concerne les rituels de cérémonie. Ce code répertorie les marques de déférence envers l'autorité, par exemple la manière de porter le *kabney* (écharpe), l'accentuation de la révérence et le rituel élaboré du service du thé et de la nourriture lors de réunions importantes. L'étude du *driglam namzha* peut durer une journée... ou toute une vie.

Koley Lam venait à Sherubtse pour donner quelques cours aux étudiants de l'école. Il avait lui-même reçu une bonne éducation, et il était à la fois lama et fonctionnaire. Cet homme avait servi sous trois rois du Bhoutan. On rapportait qu'il avait encore les marques des coups qu'il avait reçus du premier de ces rois durant sa formation. Puis il avait travaillé sous les ordres du second roi et avait été le tuteur du troisième. Son statut et sa réputation faisaient en sorte qu'il était très respecté par les Bhoutanais, et la nouvelle de sa venue à l'école Sherubtse se répandit comme une traînée de poudre parmi toute la population des environs.

Le père Mackey avait prévu que Koley Lam donnerait une conférence à l'auditorium. Comme c'était toujours le cas, les petits élèves étaient assis à l'avant et les grands à l'arrière. Les directives du jésuite étaient claires : il fallait demeurer totalement silencieux durant la conférence. Les écoliers firent de leur mieux, mais après une heure les petits commencèrent à faire balancer leurs pieds qui ne touchaient pas à terre. Ce comportement ne respectait pas le code strict de Koley Lam, et il ne se gêna pas pour le leur signifier.

Le texte de la conférence était passablement ennuyeux pour les jeunes écoliers. Par contre, lorsque le conférencier déviait de son sujet principal et parlait de ses relations avec les différents rois, il pouvait être très intéressant. Dans les années qui suivirent, lors de la visite annuelle de Koley Lam, le père Mackey demandait toujours aux étudiants de poser des questions à ce sujet. Lorsque Koley Lam parlait de la vie d'un roi et de son travail il en avait pour au moins une heure. C'était de l'histoire vivante qui avait probablement plus de valeur pour les étudiants que la conférence elle-même.

Lors de la deuxième journée de la visite, le père Mackey fit asseoir les plus petits au balcon en espérant que le balancement des pieds passerait inaperçu. Il confia même à un capitaine la mission de les surveiller en lui disant : «Personne ne doit bouger, sous aucun prétexte.» Bomba, qui était le fils du chef de police de Tashigang et travaillerait des années plus tard comme chef des vols de Druk Air, fut le dernier à prendre place dans l'auditorium. Il était arrivé en retard et s'était assis sans avoir pris le temps d'aller aux toilettes. Alors que la conférence progressait, son envie d'uriner devenait de plus en plus insoutenable. Il fit signe au capitaine qu'il devait absolument sortir. Celui-ci refusa et demeura inflexible. Bomba n'en pouvait tout simplement plus; il se mordait la joue et croisait les jambes aussi fort que possible. Mais rien n'y fit. Un mince filet d'urine commença à couler et à se répandre sur le plancher du balcon...

Il y avait une ferme près de l'école Sherubtse, juste de l'autre coté de la colline. Elle appartenait à un vieil homme nommé Mem Dorje. De temps à autre, les animaux de la ferme venaient ravager le potager de l'école. Les porcs déterraient les pommes de terre, et les vaches mangeaient tout ce qui poussait au-dessus du sol. Quant aux mulets, en raison de leur grande intelligence, ils étaient particulièrement nuisibles. Ces mulets servaient au transport des marchandises pour l'armée et, après un long voyage, ils revenaient affamés sur le terrain de l'école pour piller le jardin. Il y avait bien une clôture en bois pour les empêcher de passer, mais le mulet de tête était capable d'ouvrir la barrière avec ses dents et les autres bêtes le suivaient.

Un bon jour, Mem Dorje rendit visite au père Mackey pour lui annoncer sans formalité qu'il allait mourir bientôt. «Mais non, vous n'êtes pas sur le point de mourir, lui dit William Mackey. Vous êtes encore jeune.» «C'est la vérité. Je n'en ai plus pour longtemps.» Deux jours plus tard, le fils de Mim Dorje se présenta à l'école pour annoncer que son père venait de mourir, et le père Mackey alla à la ferme pour offrir ses condoléances à la famille.

Un *phajo* (une sorte de devin) choisissait le moment de

l'incinération et détermina que le dimanche suivant offrait les augures les plus favorables. Le père Mackey fit un court sermon ce jour-là, puis quitta les lieux vers huit heures pour aller assister à la cérémonie de crémation. Les villageois l'attendaient sur une colline, et ils prirent ensemble une tasse d'*ara* avant de se diriger vers le lieu de la cérémonie. La première tasse fut offerte à Mim Dorje, que l'on avait déposé en position foetale dans un large panier. En effet, au Bhoutan, on considère le mort comme toujours vivant jusqu'au moment de l'incinération et on le traite comme un invité d'honneur. Après avoir bu l'*ara*, le groupe descendit la colline vers la rivière tout en ramassant du bois pour le bûcher.

Une fois qu'ils eurent atteint l'emplacement choisi pour l'incinération, les villageois construisirent une plate-forme de bois sur les rochers qui s'avançaient dans la rivière et y placèrent le corps. Après avoir rendu un dernier hommage à Mem Dorje, on alluma le bûcher. Le feu allait brûler pendant deux heures avant que le corps ne se consume complètement. Un repas fut servi pendant ce temps, et Mem Dorje était toujours considéré comme l'invité d'honneur. Les amis du défunt mangèrent dans la bonne humeur, et l'*ara* coulait à flots. L'incinération n'est pas un moment de tristesse chez les Bhoutanais. Selon la tradition, le défunt n'est pas vraiment mort puisqu'il doit se réincarner dans une autre vie à un stade plus près du nirvana.

Après le repas, le fils aîné de Mem Dorje distribua aux parents et aux amis présents qui avaient aidé à la préparation de la cérémonie une pièce tibétaine en argent pour les remercier. Les participants poussèrent ensuite le reste de la plate-forme avec les cendres du défunt dans la rivière.

Pour les bouddhistes bhoutanais, le décès représente le moment le plus important dans l'existence d'une personne. Les enfants se familiarisent avec la mort dès leur tout jeune âge et considèrent l'incinération comme un événement social tout à fait normal.

Le décès de Mem Dorje ne fut pas le seul moment où le père Mackey fut confronté à la mort durant son séjour au Bhoutan. Elle frappa même un de ses étudiants, Kinsang Dorji. Ce brillant élève de cinquième année originaire de Tashi Yantse avait été adopté par son oncle, qui possédait une boutique près de Yonphula. Au mois de juin 1977, Kinsang alla passer quelques jours dans la famille de son oncle et, à son retour à l'école, il éprouva quelques problèmes de santé que l'on attribua à la qualité de l'eau à Yonphula. Sa santé s'améliora dans les jours qui suivirent, mais il ressentit à nouveau des migraines, de la fièvre et des maux d'estomac une semaine plus tard. Il s'alita, et on lui administra les médicaments usuels pour guérir les problèmes d'estomac. Sa santé ne s'améliora pas, et le père Mackey décida de le faire hospitaliser. Les docteurs pensèrent au départ qu'il s'agissait de la tuberculose ou d'une occlusion de l'intestin. Des médicaments ordinaires, puis ensuite des antibiotiques de plus en plus puissants lui furent prescrits, mais sans résultats significatifs. Les médecins, à court de ressources, émirent l'opinion qu'il fallait peut-être l'opérer même s'ils n'avaient pas encore diagnostiqué clairement la maladie. Le médecin traitant déclara : «Il n'y a pas beaucoup d'espoir». Le garçon mourut le 20 juin, un peu après minuit. Cause de la mort : inconnue. L'oncle adoptif du garçon était demeuré près de lui durant tout le temps qu'avait duré la maladie. Quant au père Mackey, il avait passé les deux derniers jours en compagnie de son élève.

Il faisait très chaud à Tashigang à cette période de l'année, et le corps ne pouvait être conservé très longtemps à l'air libre. Par conséquent, les oncles du défunt décidèrent d'incinérer la dépouille dès le lendemain du décès. La cérémonie eut lieu encore une fois sur les rives du Drangme chu, mais cette fois près de Tashigang. Le jésuite alla voir son ami le Lam Neten, le supérieur du monastère, qui lui promit d'envoyer quelques moines assister à la cérémonie.

Le corps du jeune garçon fut emmené de l'hôpital vers midi. Le père Mackey avait réussi à obtenir la permission d'utiliser l'ambulance pour transporter le défunt et sa famille pendant que les élèves de l'école aidaient à ramasser le bois pour le bûcher. Une fois sur les lieux de la cérémonie, on dénuda le cadavre pour le laver dans l'eau de la rivière. On mit ensuite le corps en position foetale et on l'attacha; il devait quitter le monde dans la même position qu'il y était entré. L'incinération comme telle eut lieu assez tard dans la journée, et c'était déjà le soir lorsque qu'on jeta les cendres dans la rivière.

Un autre décès qui toucha vivement le père Mackey fut celui du roi du Bhoutan. Le matin du 21 juillet 1972, le jésuite reçut un radiogramme lui annonçant la terrible nouvelle. Le souverain avait subi une crise cardiaque à Nairobi, au Kenya, où il effectuait un safari. Sa mère, Dawa Tsering, à l'époque la ministre des Affaires étrangères, ainsi que son fils, le prince héritier, l'accompagnaient lors de ce voyage. Le corps devait maintenant être rapatrié au Bhoutan. Il arriva à l'aéroport Dum Dum à Calcutta à trois heures du matin, puis on le plaça dans un avion des Forces armées indiennes qui l'emmena jusqu'à Hasimara. De là, on effectua le reste du trajet par la route menant à Thimphu. Le cortège se composait de lamas et des proches du défunt.

Le roi Jigme Dorji Wangchuk n'avait que quarante-quatre ans au moment de sa mort, mais il souffrait de problèmes cardiaques depuis plusieurs années. Malgré sa maladie, il avait essayé de mener une vie aussi remplie que possible, toujours au service de son peuple. Plusieurs de ses proches prétendaient qu'il savait que la fin était proche lorsqu'il préparait son voyage au Kenya.

Depuis l'assassinat du premier ministre Jigmie Dorji, quelques années auparavant, les Bhoutanais se demandaient s'il existait un conflit entre les Wangchuk et les Dorji. Le «facteur tibétain» représentait un autre élément déstabilisateur. Certains observateurs croyaient que les Tibétains avaient joué un rôle dans le meurtre du premier ministre et ils ne faisaient pas confiance à la «princesse» tibétaine qui était très près du roi. De plus, il s'était déjà produit des attentats contre la vie du roi. C'est pourquoi certains avancèrent l'hypothèse que le roi avait décidé de mourir à l'extérieur du Bhoutan afin qu'il soit impossible, par la suite, de prétendre qu'il s'agissait d'un assassinat. Si c'était le cas, la mort du roi à l'étranger eut l'effet désiré. Personne n'insinua qu'il s'agissait d'un meurtre. Ce décès soudain et le couronnement du jeune prince eurent pour effet de calmer les esprits et de panser les vieilles blessures.

Les jésuites organisèrent une réunion à l'école Sherubtse pour rendre hommage au roi défunt. William Mackey parla pendant plus d'une demi-heure, citant ses plus grands accomplissements : la création de l'Assemblée nationale et de la Cour suprême, la redistribution des terres agricoles, l'abolition du servage, l'adhésion du Bhoutan aux Nations unies, la modernisation du système d'éducation (qui comprenait l'adoption de l'anglais comme langue officielle de communication). Le prêtre parla également de l'être humain qui se cachait derrière le personnage royal. Le père Mackey avait éprouvé énormément de respect et d'amitié pour ce grand homme, et plus particulièrement apprécié son coté réaliste, son intelligence vive et sa bonne humeur. Il expliqua aux élèves qu'il était parfois difficile de le reconnaître dans une foule, parce qu'il portait des vêtements ordinaires et ne voulait pas se différencier de son peuple. «Il aimait les gens, dit-il. Lorsqu'il conduisait et qu'il voyait un paysan marcher, il s'arrêtait pour lui demander où il allait, et souvent le prenait à bord. Il était très près de son peuple.»

Le lendemain après-midi, les *lopens* organisèrent une cérémonie au temple, durant laquelle les élèves récitèrent des prières à la mémoire du défunt. Plus tard, le père Mackey dit une messe à l'auditorium. Il s'agissait seulement de la deuxième fois qu'il disait une messe en public au Bhoutan. De plus, l'école fut fermée pendant une semaine, et les prières se poursuivirent au temple, dirigées entre autres par le lama Kanglung Rinpoche. Le 26 juillet, les garçons de l'école participèrent à un pèlerinage à divers *gompas* et *lhakhangs* de la région. Toutes ces manifestations étaient parfaitement normales. Ils étaient en deuil de leur souverain bien-aimé et respecté de tous. Selon William Mackey, «c'était comme si les étudiants avaient perdu un proche parent.»

Pour faire part de ses condoléances, le jésuite avait envoyé un message à la famille royale. Il reçut une réponse personnelle du nouveau roi, Jigme Singye Wangchuk, et de sa sœur, Ashi Dechen. Ils avaient tenu à le remercier personnellement pour ses prières et pour la sympathie qu'il leur avait démontré. «Mon père appréciait beaucoup le travail que vous et vos collègues effectuez pour améliorer le système d'éducation au Bhoutan», écrivit le jeune roi au jésuite.

La période complète de deuil dure 49 jours pour les bouddhistes bhoutanais. Toutefois, les gens ordinaires peuvent rarement se permettre d'acquitter les frais pour les prières quotidiennes et les autres dépenses que cela entraîne. La période de deuil peut par conséquent être ramenée à 21 jours, ou même à sept jours (toujours un multiple de sept). Mais pour le décès du roi du Bhoutan, bien entendu, la période entière fut respectée.

William Mackey se rendit à Thimphu au mois d'octobre et passa toute une matinée auprès du défunt roi. Lorsqu'il entra dans la résidence royale, où se trouvait le corps, on annonça à haute voix sa venue au roi : «Votre Majesté, le père Mackey est arrivé.» La dépouille reposait en position fœtale à l'intérieur d'une construction de pierres, en forme de *chorten*, garnie de dorures et d'autres très belles décorations. Le jésuite s'approcha et déposa son *kata* au pied du *chorten*.

La reine Ashi Kesang était présente pour accueillir le jésuite. Après avoir présenté à la famille royale les condoléances d'usage, le père Mackey, avec la permission de la reine, s'agenouilla près de la dépouille du roi pour prier. Le jésuite fut très impressionné par la technique d'embaumement traditionnelle qui avait parfaitement conservé le corps du roi pendant près de trois mois. Un garde servit ensuite le thé au roi et à son invité. Le prêtre ne toucha pas tout de suite à sa tasse. Il attendit que le garde lui fasse signe, signifiant ainsi que le roi (toujours considéré comme vivant selon la coutume) désirait qu'il boive le thé. Et comme le roi avait fumé toute sa vie des cigarettes à la chaîne, le garde allumait toutes les 15 minutes une cigarette qu'il plaçait près du corps.

Le père Mackey, puisqu'il était un ami de la famille, resta à converser quelque temps avec la reine. Vers midi, la deuxième fille du défunt, Ashi Dechen, demanda au jésuite s'il voulait bien nourrir son père. Le prêtre jugeait qu'il s'agissait d'un grand honneur et accepta avec empressement. Il y avait quatre bols placés sur les cotés du *chorten*. Le père Mackey prit le plat de service et remplit chacun des bols. Puis il s'assit, et on lui apporta sa propre nourriture. Le roi du Bhoutan et le père Mackey prirent un dernier repas ensemble.

Chapitre 10

À L'ÉCOLE SHERUBTSE, LES EMPLOYÉS DE SOUTIEN N'ÉTAIENT malheureusement pas assez nombreux pour effectuer toutes les tâches. On mettait par conséquent tous les étudiants à contribution, que ce soit à la bibliothèque, dans les laboratoires, à l'infirmerie, au gymnase ou ailleurs. Le père Mackey mettait avant tout l'accent sur le sens des responsabilités et, en général, ses élèves répondaient bien aux attentes.

En 1974, un groupe d'étudiants de septième année mit sur pied un projet d'aide à la population locale. Les jeunes étaient disposés à consacrer du temps chaque semaine au profit de la communauté. Le père Mackey trouva l'idée excellente et suggéra : «Pourquoi ne pas enseigner aux enfants?» De nombreux enfants de la région de Kanglung ne pouvaient aller à l'école faute de place pour eux. L'inscription à Sherubtse était limitée et se faisait à partir d'un énorme bassin de population. De plus, l'école abandonnait progressivement les premières classes au fur et à mesure où on ajoutait des classes supérieures.

Les étudiants de septième commencèrent donc à enseigner aux enfants des employés de l'école, cuisiniers, balayeurs, etc. Tous les après-midi durant la période de sports et à tous les congés, ces enfants pratiquaient la lecture, l'écriture, les mathématiques et même le dzongkha. Avec le temps, on invita aussi des enfants qui n'habitaient pas à l'école à assister à ces classes. Cet enseignement non officiel connut un vif succès.

Un jeune garçon nommé Karma, qui aimait beaucoup son «travail» d'enseignant, demanda un jour au père Mackey s'il pouvait continuer à enseigner aux enfants durant la période de vacances d'hiver. Avec deux compagnons, il donna des cours sur une base régulière en décembre, en janvier et en février, jusqu'à la réouverture de Sherubtse pour la nouvelle année scolaire. L'école non officielle continua ainsi et reçut même la visite du roi qui était venu voir, à la demande du père

Mackey, ce que faisaient les étudiants. «Mais c'est une vraie école!» constata le roi tout étonné. «Je sais, dit le jésuite, mais je ne peux pas trouver de professeurs. Le ministère de l'Éducation devrait la prendre en charge.»

Cette démarche auprès du roi eut des résultats positifs. Peu après, en 1979, on annonça l'ouverture de l'École primaire de Kanglung. Pour sa part, Karma poursuivit sa formation en Angleterre, après ses études à Sherubtse, et travailla par la suite à l'école de Kanglung à la formation des professeurs.

Pour ses déplacements, William Mackey disposait maintenant d'une Land Rover qui lui avait été offerte par John Goelet. Ce dernier était un multimillionnaire marié à une amie que s'était faite la reine Ashi Kesang lors de ses études en Grande-Bretagne. Le couple visitait le Bhoutan périodiquement, et John Goelet s'intéressait beaucoup au travail du père Mackey ainsi qu'au développement de l'agriculture dans ce pays. C'est pourquoi il fit des démarches auprès de l'ordre de Jésus au Canada afin que l'on envoie un expert en matières agricoles au Bhoutan.

Les jésuites choisirent le frère Nick Johannesma, un Canadien d'origine hollandaise qui travaillait déjà en Inde. Il arriva à l'école Sherubtse en 1971 pour enseigner aux plus jeunes élèves et diriger un programme spécialisé en agriculture s'adressant aux étudiants des classes avancées. Par la suite, il diversifia ses activités dans d'autres secteurs du développement agricole. Le frère Nick était un homme très pragmatique et plein de bon sens, mais qui avait un caractère fougueux. C'est pourquoi ses manières ne plaisaient pas toujours à ses supérieurs. Mais, sauf lors de ses sautes d'humeur occasionnelles, il s'entendait très bien avec le père Mackey.

Un an environ après l'arrivée de ce nouveau professeur, John Goelet offrit à la mission bhoutanaise des jésuites deux motocyclettes BSA de 450 cc destinées au frère Nick et au père Mackey. La nouvelle moto de William Mackey était beaucoup plus puissante que sa vieille Jawa. Elle lui permettait de gravir facilement les montagnes et de se faufiler adroitement sur les routes sinueuses. Malheureusement, le jésuite fut frappé d'une maladie des yeux qui le força à subir une opération et à mettre fin à ses escapades.

En 1972, le père Mackey apprit qu'il avait développé des cataractes aux yeux et il alla consulter un docteur à Calcutta pour les faire enlever. Mais le médecin lui annonça qu'il fallait attendre une autre année avant de procéder à l'opération, parce que les cataractes n'avaient pas encore atteint leur maturité. Le jésuite retourna donc au Bhoutan pour reprendre ses activités malgré des problèmes de vision de plus en plus graves. Il avait de la difficulté à marcher sans heurter les objets. Il décida finalement de se rendre au Canada pour y subir une double opération aux yeux.

William Mackey arriva à Toronto en avril 1973. La Mission avait pris pour lui un rendez-vous avec un ophtalmologiste, le docteur Callaghan. Il examina un instant le jésuite et dit : «Mon Dieu! Vous êtes aveugle.» «Je le sais. Regardez les bleus sur mes mollets...» «Nous ferons le premier œil mardi et l'autre, la semaine suivante», décida le médecin.

Les opérations se déroulèrent sans complications, et le père Mackey trouva le traitement moins pénible que l'extraction de toutes ses dents quelques années plus tôt. Au moment de son retour au Bhoutan, ses yeux étaient pratiquement guéris. Il tenta même de conduire sa motocyclette, mais trouva l'expérience trop dangereuse. Frère Nick hérita par conséquent d'une seconde BSA.

William Mackey continuait à avoir un horaire de travail très chargé. Durant la journée, il donnait des cours et s'occupait de l'administration de l'école Sherubtse. Il s'acquittait de toutes les tâches administratives courantes, réglait les problèmes des professeurs, faisait la discipline et s'assurait de la bonne marche des activités de soutien (cuisines, dortoirs, véhicules, etc.). Il déléguait autant de responsabilités que possible à ses confrères jésuites et à d'autres professeurs, mais finalement c'était lui le grand responsable. Et les soirées permettaient au père Mackey de mieux connaître les étudiants dans une atmosphère plus détendue. Comme tous les professeurs, il participait à la surveillance de la période d'étude du soir. Il connaissait tous les programmes de cours et en regardant travailler les élèves il pouvait juger du progrès d'une classe. Quand un professeur prenait du retard, le père Mackey pouvait intervenir pour l'aider.

Même s'il possédait ses propres appartements, William Mackey passait une bonne partie de l'année dans la résidence des étudiants. Il dormait dans une petite pièce à l'étage du dortoir des garçons de dixième. Ces étudiants plus âgés n'avaient pas de période d'étude obligatoire le soir avec les autres. Ils pouvaient étudier au dortoir, et le père Mackey était souvent présent pour offrir son aide en cas de difficulté. Presque tous les soirs, il se promenait parmi les jeunes, jetant un regard à leur travail et discutant avec eux sans formalité. Il connaissait bien les faiblesses de chacun et savait détecter leurs problèmes personnels ou académiques. Grâce à cette présence continue, le jésuite faisait face à très peu de manquements à la discipline. Mais lorsqu'il devait appliquer des mesures disciplinaires, il s'assurait par la suite de rétablir les ponts avec l'élève puni. Rarement devait-il sévir à nouveau.

Il se produisait cependant des cas exceptionnels. Virendra Singh Allahwat était un très bon professeur originaire du Punjab. Il enseignait la géographie, organisait des activités sportives et s'occupait du personnel. Il représentait un atout indéniable pour l'école. Il avait toutefois mauvais caractère et, un jour au cours de sa première année, il perdit son sang-froid et tout sens de la mesure. Les écoliers bhoutanais acceptent généralement bien les punitions lorsqu'elles sont méritées. Ils refusent cependant de prendre le blâme quand ils n'ont rien à se rapprocher. Virendra Singh l'apprit à ses dépens après avoir puni un de ses élèves, un garçon nommé Tenzin, pour une infraction qu'il n'avait pas commise.

Tenzin avait lui aussi un caractère très fort et il quitta la classe en furie après avoir reçu sa punition injustifiée. Il revint quelques minutes plus tard avec dans chaque main une grosse pierre qu'il voulait lancer à M. Singh. Le professeur regardait des cartes dessinées par trois autres élèves et ne vit pas entrer Tenzin. Ce sont les étudiants qui l'aperçurent en premier et ils s'écartèrent de son chemin. Puis, M. Singh le vit finalement s'approcher de lui ses armes à la main. La réaction du professeur releva du plus grand art dramatique. Il ouvrit son manteau et déclara, bombant le torse : «Mon père a mérité la Croix de Victoria! Il était un militaire, un soldat! Tue-moi si c'est ton désir.» Tenzin fut à ce point étonné par la réaction de son professeur qu'il se retourna et quitta la pièce. M.Singh, enflammé, alla voir le père Mackey pour lui faire part des événements. «Laissons retomber la poussière, lui dit le jésuite. Nous en reparlerons après les cours de cet après-midi.»

M. Singh était toujours en colère lorsqu'il se présenta devant le père Mackey en fin de journée et annonça : «Ce garçon doit partir, sinon c'est moi qui démissionne.» «Soyons raisonnables, lui dit le jésuite. Ce n'est qu'un jeune garçon de huitième année après tout. On peut lui infliger une punition.» « Non! Il doit être renvoyé.»

Le père Mackey consulta certains autres professeurs pour connaître leur opinion. Ceux-ci, en général, semblaient appuyer leur confrère. Mais Tenzin était un bon étudiant et il devait passer bientôt les examens cruciaux de huitième année. William Mackey ne pouvait se résoudre à l'expulser de l'école même s'il sentait qu'il devait soutenir son professeur. Il fit venir le garçon à son bureau pour lui apprendre la mauvaise nouvelle : «Je vais essayer d'arranger les choses, mais en attendant tu dois retourner chez toi. Prends tous tes livres, et demain je t'emmène à Tashigang. Tu vas terminer ton année et passer tes examens là-bas.»

Une fois à Tashigang, le père Mackey tenta d'expliquer la situation au directeur de l'école. «Tenzin n'est pas un mauvais garçon. Il a seulement très mauvais caractère.» Le directeur, toujours prêt à rendre service à son collègue, accepta de prendre Tenzin dans son institution. De retour à Sherubtse, le jésuite reçut M. Singh à son bureau et ce dernier lui avoua qu'il avait fait une erreur. «Nous faisons tous des erreurs M. Singh», répliqua son supérieur. «Pouvons-nous le ramener ici?» « Non. Nous avons pris une décision et c'est impossible de la changer pour l'instant. S'il passe ses examens, nous pourrons l'accepter ici pour sa neuvième année.»

Tenzin passa ses examens sans aucun problème, et il retourna à l'école Sherubtse l'année suivante. Lui et M. Singh furent par la suite de bons amis. Tenzin termina son cours et devint plus tard un officier dans l'Armée royale du Bhoutan.

L'école Sherubtse était un peu le centre d'attraction de toute la communauté. Elle était la première source de divertissement pour les citoyens du village, et de nombreuses personnes assistaient aux concerts et aux spectacles que l'on y donnait. Les visiteurs dans la région, surtout les Indiens de passage, ne rataient jamais une occasion de visiter cette école formidable. Sherubtse était devenue un véritable site touristique.

Tout le monde à Sherubtse en avait assez d'un tel remue-ménage. À l'automne, en plein milieu de la période indienne de vacances, ces visites nombreuses menaçaient même la qualité de l'éducation. Les touristes voulaient tous voir les classes avec les beaux petits étudiants bhoutanais qui travaillaient à leur leçon. Avec le temps, le père Mackey et son équipe élaborèrent un petit programme pour intéresser et amuser les visiteurs. Les étudiants apprenaient des chansons et des récitations qu'ils reprenaient ensuite devant les invités, les charmant à tout coup. En outre, pour s'assurer qu'une classe ne soit pas perturbée trop souvent, on tenait un calendrier des visites et les classes se relayaient pour recevoir les invités.

L'intérêt que portait la communauté à son école se manifestait de différentes façons. Par exemple, les expositions scientifiques obtenaient toujours un très vif succès. La première journée était réservée aux soldats, qui servaient en quelque sorte de cobayes. Cela permettait aux étudiants de mettre au point leurs expériences et de répondre aux questions qu'on leur posait, souvent en plusieurs langues différentes (dzongkha, népalais, hindi, sharchopkha, anglais). Les gens du village et des environs (surtout des fermiers) venaient à l'exposition le deuxième jour. Ils parlaient surtout le sharchopkha, et leurs questions reflétaient un tout autre point de vue que celui de militaires. Le troisième jour était réservé aux étudiants de l'école, et le quatrième aux habitants de Tashigang et du dzong. Cette dernière journée d'exposition avait lieu le samedi pour permettre aux visiteurs de faire le trajet jusqu'à Kanglung. À la fin des quatre jours, les étudiants connaissaient sur le bout des doigts leurs expériences scientifiques et pouvaient les expliquer en cinq langues différentes. Ils avaient aussi appris les notions de base des expériences de leurs confrères.

Le 17 décembre 1973, jour de la Fête nationale du Bhoutan, le père Mackey reçut la prestigieuse médaille du Druk Zhung Thuksey en récompenses de ses efforts pour l'amélioration du système d'éducation du pays. Le titre honorifique en dzongkha, qui accompagnait la médaille, était un signe très important de reconnaissance et signifiait «fils spirituel du Bhoutan».

Sept mois plus tard, le 2 juin 1974, le père Mackey dirigea une délégation composée d'étudiants et de professeurs de Sherubtse qui allait assister au couronnement du roi. Après la courte tutelle du père Mackey, Jigme Singye Wangchuk avait poursuivi ses études, tout en passant beaucoup de temps avec son père. En 1972, il avait été désigné comme Tongsa Poenlop, signifiant ainsi qu'il allait devenir le prochain roi. Deux mois après cet événement, il accédait officiellement au trône du Bhoutan, trois jours seulement après la mort de son père.

La grande cérémonie de couronnement du nouveau roi n'eut cependant lieu que deux ans après sa nomination. Ce retard s'expliquait par une tentative d'assassinat perpétré contre le jeune souverain et la découverte d'un complot pour un coup d'État. Mais, maintenant que tout était réglé, les festivités pouvaient commencer avec tout le faste requis pour une telle occasion. Un grand nombre d'invités d'honneur assistaient au couronnement, et William Mackey n'eut pas la chance de s'entretenir avec son ancien protégé durant la cérémonie. Toutefois, après la démonstration de gymnastique organisée par le jésuite, le roi l'appela personnellement de son pavillon pour le remercier.

Les festivités durèrent toute une semaine, durant lesquelles les dignitaires (dont le père Mackey) défilèrent dans la salle du trône au dzong pour féliciter le roi. Le jésuite trouva toutes ces cérémonies remarquables, principalement parce qu'elles permirent d'apaiser les tensions qui avaient surgi à la suite de l'assassinat de Jigmie Dorji, l'ancien premier ministre. Certains membres de la famille Dorji avaient quitté le pays après le terrible événement mais, fort heureusement, ils étaient tous présents à Thimphu lors du couronnement. La reine Ashi Kesang avait réussi à convaincre Dasho Lhendup, son frère, et Ashi Tashi, sa soeur, de revenir de leur exil au Népal. Cette initiative de la reine permit de réunir à nouveau la famille royale.

L'implantation d'un système d'examens de fin d'études secondaires typiquement bhoutanais cadrait bien avec le fort sentiment d'indépendance des citoyens du Bhoutan. En 1964, les responsables du gouvernement avaient mandaté le père Mackey afin qu'il élabore un système qui répondrait bien à la réalité bhoutanaise. Les autorités décidèrent de choisir l'anglais comme langue d'enseignement, et les étudiants de la première classe de dixième année obtint son diplôme en 1968 après les examens de fin d'année. Mais il y aurait plusieurs obstacles à surmonter par la suite.

En 1964, quand le père Mackey avait élaboré un système d'examens en se basant sur celui en vigueur au Bengale-Occidental, tout le monde avait pensé que les diplômés n'auraient aucune difficulté à obtenir leur admission dans les universités indiennes. Personne n'avait cependant pensé au fait que les autorités de l'Inde demandaient aux étudiants désireux de poursuivre leurs études dans un autre État d'obtenir au préalable un certificat d'immigration du gouvernement. Il ne faisait aucun doute qu'en matière d'éducation les autorités indiennes considéraient le Bhoutan de la même manière que tout autre État indien. Toutefois, rien n'était prévu dans la réglementation pour émettre des certificats d'immigration aux résidents bhoutanais.

Les diplômés du système d'éducation du Bhoutan ne pouvaient donc pas être admis dans les universités indiennes. Les autorités bhoutanaises réglèrent le problème, de façon temporaire, en envoyant les étudiants dans des universités étrangères. Plusieurs diplômés allèrent poursuivre leurs études en Australie ou en Nouvelle-Zélande grâce au programme de bourses d'études du plan de Colombo. Mais cette mesure n'était valable qu'à court terme, et il fallait trouver une solution définitive.

C'est dans ce but que les autorités bhoutanaises abandonnèrent en 1969 leur système d'examens de fin d'études secondaires adopté en 1964 et qu'elles décidèrent d'affilier leurs écoles secondaires au système d'éducation de l'Inde. Le père Mackey se rendit à New Delhi à la fin de l'année scolaire pour jeter les bases qui mèneraient progressivement à une intégration complète. Cela signifiait, par conséquent, que les écoles fonctionneraient dorénavant sous le système Cambridge que l'on avait pourtant rejeté quelques années plus tôt. Il s'agissait toutefois d'un système qui avait fait ses preuves. Les autorités apportèrent d'ailleurs certaines modifications pour l'adapter à la réalité bhoutanaise, par exemple en faisant du dzongkha une matière au programme.

Au mois de mai 1976, l'école Sherubtse changea de vocation et devint le «Sherubtse Junior College». Le collège offrait pour la première fois une classe de onzième année qui, l'année suivante, passerait en douzième. Vingt-trois étudiants de douzième année s'inscrivirent aux examens de l'ISC (Indian School Certificate) en 1978 et ils réussirent tous sans exception. Mais quand ces élèves reçurent leurs résultats, le père Mackey avait déjà quitté Sherubtse

Le programme d'enseignement du dzongkha écrit commença pendant que le père Mackey dirigeait encore l'école de Kanglung. Le dzongkha est la langue la plus courante du Bhoutan occidental. Elle est issue du tibétain, ce qui s'explique par le fait que les premiers habitants du Bhoutan venaient du Tibet. Au cours des siècles, elle subit de nombreuses transformations importantes jusqu'à devenir la langue que l'on connaît aujourd'hui. Avant les années 1960, elle était uniquement une langue parlée, et son usage était limité au Bhoutan occidental. Tous les documents officiels étaient plutôt écrits en choekey, le tibétain classique que l'on retrouve dans les textes religieux. Et on enseignait les notions de base du choekey à l'école, malgré le fait qu'il servait uniquement pour la lecture des prières bouddhistes.

L'idée de faire du dzongkha la langue écrite officielle du Bhoutan semble être apparue autour de 1960. Il fallait d'abord choisir une écriture, et les responsables optèrent pour l'écriture tibétaine. Pour un étranger, cela peut sembler un choix évident : les deux langues se ressemblent beaucoup après tout, et de nombreuses personnes connaissaient cette écriture. Le problème était que pour les moines, ceux qui la connaissaient le mieux, cette écriture était celle réservée à la langue du bouddhisme, la langue sacrée.

À l'époque, le gouvernement bhoutanais ne diffusait pas sur une large échelle les décisions et les activités de son administration, et l'on peut affirmer sans se tromper que les délibérations menant à l'adoption du tibétain comme écriture officielle ont été volontairement tenues secrètes. Le débat tourna néanmoins en véritable pagaille lorsque les premiers livres non religieux firent leur apparition parmi la population. Selon le père Mackey, la plupart des moines étaient offusqués et outrés que l'on ait utilisé leur écriture sacrée pour parler de sujets profanes. L'opposition face à cette mesure est demeurée très forte pendant plusieurs années. Cependant, avec le passage du temps, les *lopens* moins conservateurs se sont forcés à développer et à enseigner le dzongkha. Parmi ceux-ci, il y avait Lopen Nado, un fonctionnaire au ministère de l'éducation, et, dans une moindre mesure, Lopen Jamphel à Sherubtse. Avant la création du dzongkha écrit, les *lopens* étudiaient et enseignaient uniquement les textes religieux, qu'ils connaissaient par ailleurs presque entièrement sur le bout des doigts. Dorénavant, ils devraient entreprendre l'étude des nouveaux sujets, pas nécessairement religieux, offerts à eux.

Parmi le premier groupe de finissants de onzième année au Bhoutan, on retrouvait quelques élèves qui avaient étudié précédemment en Inde. Ces étudiants ne tenaient pas nécessairement à terminer leur cours à Sherubtse. On leur avait fait croire qu'ils fréquentaient déjà les meilleures écoles en Inde, et ils ne voyaient pas leur transfert à Kanglung d'un très bon oeil. Il y avait en outre des considérations plus pratiques. Lorsqu'ils étudiaient en Inde, ces jeunes recevaient de l'argent de poche afin de pourvoir à leurs besoins. Ils s'étaient donc habitués à la bonne nourriture et aux plaisirs de la vie offerts là-bas. De plus, ils faisaient partie de l'élite du Bhoutan et ils appréciaient de pouvoir s'afficher avec les meilleurs étudiants de l'Inde.

Avant même le milieu de l'année scolaire, de nombreux problèmes avaient surgi à Sherubtse. Les nouveaux étudiants se plaignaient de tout : la qualité de la nourriture, l'absence d'argent de poche, la routine quotidienne. Le père Mackey s'était opposé avec véhémence à l'idée de laisser de l'argent de poche aux étudiants et, de toute façon, il n'avait pas d'argent à leur donner. Sur le plan de la nourriture, il recevait la même allocation mensuelle pour chacun des élèves, 56 roupies (environ sept dollars), et il ne pouvait d'aucune manière modifier le menu pour accommoder ces palais difficiles. Finalement, pour ce qui était de l'horaire quotidien, William Mackey ne se laissa pas attendrir et affirma : «En ce qui me concerne, il n'est pas question d'accorder des privilèges. Pas question non plus de faire une exception pour quelques étudiants». À cette époque, l'école Sherubtse comptait 300 étudiants, dont une quarantaine en onzième année.

Certains des étudiants récalcitrants provenaient de familles importantes, qui eurent vent de ces protestations. Au mois de juillet, Nado Rinchen, le responsable du ministère de l'Éducation, se rendit à Sherubtse en compagnie de fonctionnaires pour examiner la situation plus à fond. Ils n'avaient pas prévenu de leur arrivée et déclarèrent, sans ambages, que cette visite déciderait de l'avenir du collège. Le père Mackey admit que la décision revenait au gouvernement mais que, si on décidait de fermer le collège, jamais il ne réouvrirait. Il suggéra également que l'on tienne une assemblée avec les élèves de onzième année pour leur permettre de s'exprimer sur la question.

Les fonctionnaires, tous les étudiants de onzième et le père Mackey se réunirent dans la bibliothèque. Environ une demi-douzaine de garçons se plaignaient des conditions de vie à Sherubtse. La plupart provenaient de l'école St. Paul à Darjiling et étaient membres de grandes familles de Thimphu. Leur première demande concernait une meilleure alimentation. William Mackey admit que le menu de l'école n'était pas de qualité supérieure, mais il déclara pour sa défense : «Si vous n'augmentez pas les allocations, il m'est impossible d'acheter plus de nourriture. Tout l'argent alloué pour la nourriture va pour la nourriture. Ils ont du riz, ils ont des pois pour le dhal, ils ont des légumes et, une fois par mois environ, ils ont de la viande.» Mais un étudiant répliqua : «Nous voulons de la viande tous les jours.» « Eh bien, si vous me donnez de l'argent, répondit le jésuite, vous en aurez à chaque jour. Mais c'est impossible avec les allocations actuelles.»

La discussion se poursuivit un certain temps, et le jésuite demanda soudainement aux étudiants pourquoi ils n'aimaient pas les légumes. «Il n'y a pas de légumes»,dirent-ils. «Quoi? fit le père Mackey. On vous sert des pommes de terres et du *saag* à tous les repas.» «Le *saag* c'est de l'herbe. Ce n'est pas un légume.» «D'accord. Et les pommes de terre?» «On en a assez des pommes de terre», s'écrièrent-ils. William Mackey se retourna vers les fonctionnaires et reprit son argumentation : «Il me faut plus d'argent. Si vous me donnez l'argent nécessaire, le problème se réglera facilement. C'est à vous d'agir maintenant.» Il croyait à ce moment avoir transmis son message.

Cependant, le prêtre ne voulait pas céder aux demandes des jeunes contestataires qui réclamaient un horaire spécial et de l'argent de poche. «J'ai 300 élèves ici, dit-il. Je ne ferai pas d'exceptions pour une quarantaine d'entre eux. Si ces garçons doivent être payés pour venir à l'école, je n'ai pas beaucoup de respect pour eux.» Il quitta ensuite la réunion.

Après deux heures de discussions, six des huit récalcitrants refusèrent de rester au collège et retournèrent chez eux. La question de l'argent de poche demeurait toutefois un problème. «Si je reçois l'ordre des autorités de donner de l'argent de poche, je devrai m'y résoudre, confia le père Mackey. Mais je ne crois pas à cette pratique. Nous devrons abaisser la qualité de l'éducation s'il faut payer les étudiants.» Un peu plus tard toutefois, on décida d'accorder un peu d'argent aux étudiants les plus âgés.

Durant l'année 1976, le père Robins, professeur de sciences à l'école Sherubtse, se rendit en Inde pour terminer ses derniers mois de formation spirituelle. Il lui fallait cependant un permis pour entrer à nouveau au Bhoutan. Le père Mackey s'occupa de faire les démarches nécessaires, mais des ratés administratifs firent en sorte que le père

Robins ne le reçut jamais et il dut revenir à Kanglung sans permis. Le père Mackey fut très surpris de le voir arriver si tôt et lui demanda : «Mon Dieu! Que faites-vous ici?»

Le père Mackey tenta de réparer les pots cassés, mais rien n'y fit; le père Robins devrait quitter le pays. Mais William Mackey modifia sa stratégie pour gagner du temps et déclara aux autorités : «Le père Robins est mon seul professeur de physique, et les étudiants doivent passer leurs examens bientôt. Ils ont déjà perdu deux mois de physique. Laissez le frère Robins terminer son année. Dès que la session d'examens sera terminée, j'irai à Gauhati et nous pourrons régler le problème.» Le jésuite fut convaincant et, grâce au soutien du ministère de l'Éducation, l'ordre d'expulsion fut retardé.

Le 13 décembre, après un dernier repas d'adieu, le père Robins, le frère Quinn et le père Mackey quittèrent Kanglung en direction de Samdrupjongkar. Ils passèrent la nuit dans la ville frontalière et, le lendemain matin, ils reprirent la route vers Gauhati pensant y arriver trois heures plus tard, à temps pour attraper leur correspondance vers Calcutta. Toutefois, une fort désagréable surprise attendait les trois jésuites et leur chauffeur au poste frontière indien; la police les interpella et demanda au père Robins de monter avec eux. Ils escortèrent également le véhicule du père Mackey jusqu'à Gauhati et, une fois dans cette ville, ils emmenèrent les jésuites au commissariat.

Le père Mackey et ses confrères tentèrent alors d'expliquer la situation le plus calmement possible, mais les policiers ne démordaient pas et exigeaient qu'ils signent une déposition écrite à l'effet qu'ils avaient contrevenu à la loi indienne. Les jésuites montrèrent leurs papiers, qui étaient en ordre, et expliquèrent au responsable de la police, visiblement contrarié, que les autorités bhoutanaises à Thimphu avaient réglé la question du permis du père Robins. Le policier quitta la pièce, laissant deux gardes armés à la porte pour surveiller les prisonniers. Le policier revint quelques minutes plus tard, après avoir parlé à un de ses supérieurs. Ils avaient décidé de laisser partir les jésuites pour Calcutta et, de façon précipitée, ils emmenèrent le frère Quinn et le père Mackey à l'aéroport où leur vol devait décoller sous peu. Le père Robins devrait attendre plus longtemps pour partir, car il avait choisi de prendre le train.

Cependant, les démêlés de William Mackey et de Michael Quinn avec la justice indienne n'étaient pas terminés pour autant. À leur descente d'avion à Calcutta, une forte délégation de policiers les attendait. Ceux-ci les amenèrent dans une pièce vitrée de l'aérogare après avoir confisqué leur passeport et leur permis. Mais personne ne pouvait trouver quoi que ce soit d'illégal dans leurs papiers. Pourquoi avait-on dit aux policiers de les détenir? Les indications reçues étaient de toute évidence erronées. Mais les deux jésuites passèrent plusieurs heures à attendre avant que les policiers ne décident finalement, en après-midi, de les relâcher.

Un peu plus tard, alors que les deux hommes s'apprêtaient à monter dans un taxi, un policier leur fit signe et dit en pointant du doigt une vieille Ambassador berline : «Prenez plutôt ce taxi. Il vous est réservé.» Il s'agissait évidemment d'une voiture de police banalisée, mais les jésuites durent tout de même donner 40 roupies au chauffeur en arrivant à St. Xavier, dans le centre de Calcutta. Une fois sortis de la voiture, ils furent surpris de constater qu'un policier en civil les escortait toujours. Ils entrèrent dans St. Xavier et montèrent dans l'ascenseur. Le policier essaya lui aussi d'y pénétrer. C'en était trop pour le frère Quinn, l'ancien policier, qui sortit de l'ascenseur. Le policier indien décida qu'il valait mieux suivre le père Mackey.

À l'étage des chambres, le père responsable était absent, et William Mackey prit la décision de s'asseoir et de lire tranquillement devant sa porte. Son «gardien» demeurait près de lui, silencieux, et lorsque le responsable arriva finalement, celui-ci ne remarqua même pas sa présence. «Père Mackey! Quel plaisir de vous revoir.» Il avait les clés pour les chambres et le père Mackey se dépêcha de pénétrer dans celle qui lui était réservée.

Un peu plus tard, alors que le père Mackey et le frère Quinn prenaient le thé avec quelques compagnons de St. Xavier, un jésuite arriva près d'eux et leur dit : «Il y a des policiers qui désirent vous voir.» William Mackey se leva et le suivit vers l'entrée. Il y avait un nouveau policier dans le hall qui lui annonça : «Il faut que vous veniez avec nous au poste de Lower Circular Road». Ce poste de police regroupait tous les services de sécurité concernant les activités des étrangers à Calcutta. «Pourquoi?» demanda le jésuite. «Nous devons aller à Lower Circular Road, c'est tout. Le frère Quinn doit venir lui aussi.»

Les jésuites furent emmenés dans un énorme wagon cellulaire. Une fois arrivés au poste, les policiers examinèrent à nouveau leurs papiers. Un d'entre eux, un Anglo-indien catholique, tenta de les rassurer en disant : «Ne vous en faites pas. Ce ne sont que des tracasseries administratives. J'ai regardé vos papiers, et tout est en ordre. Ils doivent obtenir une autorisation à gauche, une autorisation à droite. Ça n'en finit plus.» Les jésuites parlèrent amicalement avec cet homme durant environ deux heures. Puis, on le convoqua à l'étage supérieur. À son retour quelques minutes plus tard, il déclara : «Tout est réglé. Vous pouvez demeurer à Calcutta, il n'y a aucun problème. Vous devez toutefois nous avertir avant votre départ.» Les deux jésuites l'assurèrent de leur collaboration et rentrèrent à St. Xavier sans être suivis par les policiers.

Leurs aventures avec les forces de l'ordre n'étaient cependant pas terminées. Le jour précédant leur départ vers Gauhati, ils avertirent comme promis les policiers à Lower Circular Road avant de se rendre à l'hôtel de l'aéroport. Ils furent alors à nouveau pris en filature par deux agents en civil. Ils les suivaient partout où ils allaient : à la librairie de l'aéroport, au restaurant, à leur chambre. Le lendemain, les agents les escortèrent jusqu'à la salle d'embarquement de leur avion. Après un long délai pour une raison inconnue, l'avion quitta finalement Calcutta en direction de Gauhati.

Ugyen Tenzin, un agent de police bhoutanais, les attentait à l'aérogare de Gauhati. Il était aussi un ancien élève du père Mackey. Le jésuite, avant de quitter Calcutta, avait écrit à son vieil ami Tamji Jagar, le ministre de l'Intérieur du Bhoutan, pour lui faire part des événements qui leur étaient arrivés à Calcutta. Le ministre se trouvait présentement à Samdrupjongkar et désirait s'entretenir avec le jésuite. Il avait confié à Ugyen Tenzin la mission d'aller les chercher à Gauhati. En accueillant les deux jésuites, Ugyen Tenzin leur dit qu'il avait remarqué une activité policière inhabituelle autour de l'aéroport avant leur arrivée. Les trois hommes quittèrent l'aérogare aussi rapidement que possible, et les policiers se lancèrent à leur trousse. «Attachez vos ceintures, fit Ugyen Tenzin. S'ils veulent nous suivre, ils devront appuyer sur le champignon.»

La jeep du Bhoutanais filait à toute vitesse sur la route et sema facilement les policiers indiens. Elle devait toutefois s'arrêter au poste frontière. Le garde en fonction prit une éternité à compléter les formalités administratives. Ugyen Tenzin le connaissait bien et lui demanda de se dépêcher. Mais le fonctionnaire continuait à tamponner, à classer et à griffonner. Les voyageurs réussirent enfin à quitter le poste frontière tout juste au moment où les jeeps de la police indienne arrivaient à leur tour, et la course reprit de plus belle. Ugyen Tenzin réussit à distancer les jeeps de la police sur les quatre kilomètres qui séparent le poste indien de la frontière du Bhoutan. Tout juste avant la frontière, un petit chemin bifurquait sur la gauche. Ugyen Tenzin prit cette route qui menait directement à sa maison. «Mon père, excusez-moi, mais je dois aller m'habiller pour le repas», dit-il pour expliquer le changement de route. «Ça va, dit le père Mackey. Nous marcherons jusqu'à la résidence des invités.»

Durant le repas, le ministre de l'Intérieur voulut connaître tous les détails de l'étrange aventure des jésuites avec la police indienne. Il promit d'obtenir des explications du gouvernement indien. Le père Mackey eut l'occasion de constater, environ sept mois plus tard, que le ministre avait tenu parole. Il conduisait alors vers Yonphula lorsqu'il croisa une jeep de la police indienne. Sur cette petite route étroite, le policier reconnut facilement le jésuite et lui fit signe de la main afin qu'il s'arrête. Un officier supérieur de la police sortit de la jeep et vint lui parler. Il voulait savoir ce qui lui était arrivé lors de son voyage à Calcutta. De toute évidence, les pressions du ministre de l'Intérieur du Bhoutan pour obtenir des explications sur les mauvais traitements subis par deux distingués invités de son pays avaient fait des vagues jusque dans les hautes sphères du gouvernement indien. Le jésuite répondit aux questions de l'officier et ajouta : «Quelqu'un a fait une erreur. Je ne sais pas qui, mais quelqu'un a mal fait son travail. Nous avons été détenus sans aucune raison valable. En ce qui me concerne, cette affaire est close.»

Pour ce qui est du père Robins, il réussit à réintégrer les États-Unis à temps pour la fête de Noël. Il évita l'Inde pendant quelques années toutefois, préférant attendre que les choses se calment avant d'accepter un nouveau poste dans la même région, au Népal. De nos jours, il peut traverser la frontière de l'Inde sans difficulté.

La princesse Ashi Dechen, la jeune soeur du nouveau roi, fut nommée à 17 ans la représentante officielle de la famille royale au sein du ministère du Développement. En 1972, elle devint ministre en remplacement de Dawa Tsering, qui passait au ministère des Affaires étrangères. Peu de temps après, elle écrivit au père Mackey une lettre disant : «Vous avez l'autorisation de faire tout ce que vous jugerez opportun pour le bien-être de ce pays.» Le jésuite se servit souvent de cette lettre. Chaque fois qu'un fonctionnaire du ministère de l'Éducation refusait l'une de ses demandes, il sortait la lettre et l'exhibait sans remords. La plupart du temps, la lettre produisait l'effet escompté, et il obtenait une réponse favorable.

La bureaucratie devenait avec le temps de plus en plus lourde au Bhoutan, surtout pour les personnes indépendantes comme le père Mackey. À son arrivée à Tashigang, le jésuite pouvait faire à peu près ce qu'il voulait, de sa propre initiative, ou encore en consultant ses amis au dzong. Pour les problèmes épineux, il avait son ami et allié Dawa Tsering à Thimphu. Les choses changèrent cependant au milieu des années 70. La «révolte» des étudiants de onzième année à Sherubtse en était un bon exemple. Le père Mackey avait de plus en plus de comptes à rendre aux fonctionnaires du ministère de l'Éducation.

Par ailleurs, les fonctionnaires semblaient maintenant croire qu'il fallait abandonner les premières classes à Sherubtse et promouvoir pour cet établissement l'image d'un collège offrant des programmes menant à un diplôme. Le père Mackey n'avait même pas été avisé de cette possibilité. Il avait toutefois appris que l'école de Tashigang allait peut-être déménager à Khaling, situé à 32 kilomètres au sud de Kanglung. L'établissement de Tashigang avait bien rempli son rôle tant qu'il était resté une toute petite école. Maintenant que les demandes d'inscription augmentaient sans cesse et que l'on commençait à manquer d'espace, il fallait penser à trouver un nouvel endroit puisque tout agrandissement était impossible sur le flanc de la montagne à Tashigang.

En 1977, le père Mackey apprit finalement que l'on allait construire une toute nouvelle école à Khaling. Cela n'entraînerait pas seulement le transfert de l'école de Tashigang, mais également celui des premières classes de l'école Sherubtse. Cette dernière se concentrerait dorénavant sur sa vocation de collège. Le jésuite commença à s'inquiéter un peu de son avenir à la suite de ce remaniement. L'idée de diriger un collège ne l'intéressait pas vraiment et un déménagement à Khaling encore moins.

William Mackey fit alors une dernière tentative. Il écrivit à Ashi Dechen pour lui suggérer, audacieusement, de transférer le collège à Khaling et de préserver la vocation de l'école Sherubtse. Mais le «charme» du père Mackey ne fonctionna pas cette fois-ci, et Ashi

Dechen fut même acerbe dans sa réponse. Elle voulait qu'il conserve son poste de directeur de Sherubtse et que le père Coffey déménage à Khaling pour s'occuper de la nouvelle école. Mais après mûre réflexion, le père Mackey décida d'aller à Khaling, même s'il considérait l'endroit peu attrayant. De toutes façons, il était heureux de quitter l'école de Sherubtse, car il ne s'y sentait plus à l'aise.

Chapitre 11

L<small>A GÉOGRAPHIE PHYSIQUE DU</small> B<small>HOUTAN FAIT EN SORTE QU</small>'<small>IL EXISTE</small> dans ce pays de nombreuses variations climatiques d'une région à une autre. Ces changements de température s'expliquent par les importantes variations d'altitude, les crêtes montagneuses et les profondes vallées. Tashigang, par exemple, jouit d'une température chaude, et les vallées qui l'entourent ont un climat sec en raison de la configuration du terrain. La température de Kanglung, au contraire, est plutôt fraîche et le temps y est souvent ensoleillé à cause de la haute altitude.

Le climat du village de Khaling est également assez frais, mais les hautes montagnes à proximité emprisonnent les masses nuageuses causant ainsi beaucoup de pluie. En dehors de la saison des moussons, alors que le reste du pays profite du soleil, Khaling est souvent, comme le disait le père Mackey, «froid, humide et maussade». Les sangsues prolifèrent dans cet environnement, et on en trouve même sur le terrain de l'école. Khaling avait été anciennement une communauté où on élevait les moutons. Selon le jésuite, cet endroit était beaucoup plus propice à l'élevage des ovins qu'à l'éducation des enfants.

Le frère Quinn et le père Mackey arrivèrent à Khaling en 1978 pour s'installer à l'école secondaire Jigme Sherubling. Les jésuites demeuraient dans de petites maisonnettes près du campus. Pour les religieuses, on avait construit une grande maison où elles vivaient en communauté. Pendant la première année, l'établissement scolaire devait accueillir des étudiants de sixième, septième et huitième années. Cependant, comme il manquait d'espace dans les écoles du sud du pays, le père Mackey dut également former une classe de neuvième année.

Le village de Khaling se réduisait à pas grand-chose. Il y avait quelques boutiques et maisons sur la rue principale, et pratiquement mais pour envoyer des lettres il fallait aller jusqu'à Tashigang. Le courrier à destination de Wamrong, tout juste à une heure de route de Khaling, prenait trois jours avant d'arriver à son destinataire. En général, on préférait le confier à quelqu'un qui allait dans cette direction. C'était plus rapide et plus sûr. Malheureusement, les voyageurs étaient plutôt rares dans ce coin de pays.

Tout comme à l'école Sherubtse, une génératrice à moteur diesel fournissait l'électricité à l'école Jigme Sherubling. La Dantak l'avait achetée lors de la construction de l'école et l'avait laissée sur place. Elle était toutefois passablement âgée, et le père Mackey décida d'en acheter une neuve à Phuntsholing. Il commanda la génératrice par l'entremise du ministère de l'Éducation, mais lorsqu'elle arriva quelques semaines plus tard il se rendit compte qu'on lui avait vendu une machine usagée. On avait simplement appliqué une nouvelle couche de peinture mystificatrice. Il porta plainte auprès du représentant de la compagnie, mais jamais ils n'acceptèrent de la remplacer. Par conséquent, l'école était maintenant l'heureuse propriétaire de deux génératrices usagées.

Par ailleurs, l'école n'avait pas le téléphone, et William Mackey demanda avec insistance qu'on la rattache au réseau de la Dantak qui passait par Khaling. Cependant, pendant plusieurs années, on lui refusa ce droit. La seule façon de téléphoner était de grimper dans un poteau et de se brancher directement sur la ligne téléphonique.

Le père Mackey dirigeait l'école Jigme Sherubling de la même manière qu'il l'avait fait à Sherubtse. Il mit sur pied une bibliothèque dont les livres venaient en grande partie de Sherubtse. Le nouveau directeur à Kanglung, le père Leclaire, avait accepté que l'ancien directeur amène avec lui les livres destinés à de plus jeunes élèves. Le jésuite compléta la bibliothèque de Jigme Sherubling grâce à des donations et à des achats. De son côté, le frère Quinn fabriquait de nouvelles reliures pour les livres qui en avaient besoin. Comme auparavant, William Mackey avait recours à ses étudiants pour donner un coup de main comme bibliothécaires, assistants de laboratoire, etc.

Le programme scolaire de l'école Jigme Sherubling comprenait, comme précédemment à Tashigang et à Kanglung, des compétitions sportives, des concerts et du théâtre. Le père Mackey voulait que l'école organise deux événements par mois. Khaling était située trop loin de Tashigang pour que sa population y assiste, mais toutes les personnes de Khaling et des environs y étaient cordialement invitées. Toutes ces activités faisaient en sorte que les étudiants n'avaient souvent pas le temps de faire de mauvais coups. Toutefois, certains d'entre eux trouvaient le moyen de commettre de petits larcins. Ces crimes étaient de natures variées et allaient du vol jusqu'à la menace. Le vol de nourriture était fréquent à la cuisine, la plupart du temps le matin. Les feuilles de thé, le sucre, le lait en poudre étaient les produits les plus recherchés. Après une série de vols pendant plus d'un mois, trois étudiants de l'école furent pris sur le fait. William Mackey arrangea le transfert de deux de ces trois élèves dans d'autres écoles, tandis que le troisième fut tout simplement renvoyé.

Le problème de discipline le plus sérieux auquel fut confronté William Mackey concernait un jeune professeur anglo-indien nommé John. Celui-ci était issu d'un foyer brisé, et les religieuses l'avaient pris en charge très jeune et avaient vu à son éducation. Il avait étudié dans de bonnes écoles de la région de Darjiling et, après avoir terminé son cours, il avait décroché un poste de professeur à Khaling grâce à la recommandation du père Stanford, un ancien collègue du père Mackey. John avait bien commencé sa carrière, mais tout s'effondra après une profonde dépression nerveuse. Dans ses mauvaises journées, il adoptait une attitude enfantine et faisait des choses étranges.

Dans ces moments difficiles, John arrivait mal à imposer la discipline. Un jour, il fut menacé par trois étudiants armés pendant une période d'étude, dont il était le surveillant. Le jeune enseignant ne rapporta toutefois pas l'incident au père Mackey. Le jésuite savait qu'il s'était passé quelque chose de sérieux mais, selon son habitude, il laissa le professeur régler ses propres problèmes. La situation prit cependant une tournure inattendue lorsque John demanda un transfert rapide dans une autre école.

Le père Mackey ne connaissait toujours pas la nature de l'incident qui avait mené au départ du professeur. Il apprit la vérité par un autre étudiant qui raconta toute l'histoire dans son examen de composition, que corrigea le jésuite à la suite du départ de John. La dissertation ne mentionnait pas les noms des trois étudiants coupables, mais William Mackey réussit à les identifier facilement. Il y avait cependant un facteur atténuant qui jouait en faveur des garçons; le professeur les avait menacés et avait tout fait pour les rendre fous de rage.

Malgré tout, le directeur de Jigme Sherubling ne pouvait d'aucune façon tolérer un comportement aussi violent dans son école. Il devait donc sévir.

William Mackey interrogea longuement les trois coupables, qui admirent finalement avoir menacé le jeune professeur. Pendant l'incident, un des étudiants avait un *chowang*, un couteau avec une lame de 30 centimètres, tandis qu'un autre avait saisi son compas. Il n'y avait eu cependant aucun coup porté et, compte tenu du contexte très particulier dans lequel s'était produit l'événement, le père Mackey décida ne pas renvoyer de l'école les élèves impliqués. Comme punition, il opta plutôt pour une humiliation publique, devant leurs parents. Cette méthode semble avoir réussi, puisque les trois étudiants obtinrent par la suite leur diplôme et poursuivirent leurs études jusqu'au collège.

Durant ses premières années au Bhoutan oriental, le père Mackey entretint très peu de relation avec les étrangers. Ceux-ci étaient d'ailleurs très peu nombreux, si on exclut les Indiens qui n'étaient pas vraiment considérés comme des étrangers au Bhoutan. Toutefois, le nombre de véritables étrangers augmenta considérablement dans la région au cours des ans. À l'arrivée du jésuite en 1963, il n'y en avait aucun mais, vingt ans plus tard au moment de son départ de Khaling, on en comptait une vingtaine. La Mission Santal de Norvège tenait une léproserie, servant aussi d'hôpital, à Riserbu sur la route de Samdrupjongkar. Elle avait aussi installé un petit hôpital à Khaling. Par ailleurs, une autre mission protestante avait ouvert une école pour les aveugles.

Les services de santé n'étaient très développés dans la région. L'hôpital bhoutanais à Tashigang ne réussissait même pas à desservir la grande population du *dzongkhag*. Ainsi, malgré les grands efforts du docteur Anayat, la lèpre faisait encore de nombreuses victimes dans la région. Il y avait bien une importante léproserie à Mongar, tenue par une mission protestante, mais elle était située trop loin de Tashigang pour combler ses grands besoins. L'arrivée de missionnaires protestants à Tashigang pour fonder un hôpital fut par conséquent une très bonne nouvelle pour tous.

Les jésuites étaient heureux de voir arriver la mission protestante. Ce bonheur ne semblait toutefois pas réciproque. Les protestants se méfiaient des catholiques, et particulièrement des jésuites. Ils se demandaient même si ces prêtres catholiques étaient de véritables chrétiens. Ce sentiment de méfiance avait été beaucoup moins présent auparavant chez les protestants norvégiens de la Mission Santal. Les jésuites s'entendaient très bien avec eux, et le père Mackey avait développé de très bonnes relations avec certains membres de la mission de Riserbu.

Il y avait cependant une importante exception : le docteur Melbostad. C'était un très bon médecin, qui travaillait très fort, mais il était aussi très conservateur et se méfiait beaucoup des jésuites. Lorsque le gouvernement lui avait demandé d'ouvrir un hôpital près de l'école de Kanglung, le médecin norvégien s'y était fortement opposé et le projet n'avait jamais vu le jour. Le docteur Melbostad ne voulait pas que son hôpital jouxte un collège jésuite. Selon lui, les catholiques étaient, pour ainsi dire, les alliés du diable. Même les sessions communes de prière ne modifièrent pas son opinion. Le père Mackey et le frère Quinn discutèrent souvent avec lui de questions théologiques, mais rien ne semblait y faire. Le Norvégien demeurait sur ses positions; pour lui, seuls les chrétiens protestants connaissent la Vérité. Ailleurs, il n'y avait que le mal. Même les nouvelles positions du catholicisme, qui émanaient du concile de Vatican II et reconnaissaient la valeur des autres religions, ne recevaient pas son aval. Pour le docteur, il n'existait qu'une seule façon de sauver l'humanité : le baptême protestant. C'est pourquoi il exigeait que tous les membres de son équipe, même les Bhoutanais, soient baptisés. Le gouvernement du Bhoutan ne voyait pas cette pratique d'un très bon oeil, pas plus que William Mackey, qui se refusait à convertir et à baptiser la population locale.

Pour tenter de mieux faire comprendre au docteur Melbostad les croyances des Bhoutanais, le père Mackey entreprit de lui enseigner quelques notions sur le bouddhisme. Le jésuite croyait que le bouddhisme respectait ses propres convictions et que son apprentissage lui avait permis de mieux comprendre et de pénétrer l'essence de sa propre religion. Il tenta d'expliquer tout cela au docteur et lui fit lire la biographie de Drukpa Kunley, un saint du bouddhisme tibétain ayant vécu au XVIe siècle et adoré par son peuple, même si ses idées étaient pour la plupart hétérodoxes. Contrairement aux autres maîtres orientaux qui souscrivaient à un grand ascétisme et enseignaient la négation du corps et de ses désirs, ce moine se servait des émotions, du désir et de la sexualité pour susciter une plus grande conscience de la vie quotidienne. Pour le prêtre catholique, ce livre recélait un profond enseignement spirituel. Mais il pouvait toutefois également choquer certains lecteurs...

Après avoir lu le livre, le docteur considérait le père Mackey comme un hérétique, qui serait condamné aux affres de l'enfer, et refusa tout simplement par la suite de lui adresser la parole. Au moment de son départ du Bhoutan, il refusa de recevoir William Mackey, qui s'était pourtant déplacé pour lui faire ses adieux. Mais le jésuite ne fut pas choqué de ce manque de manières et résuma ainsi sa pensée sur le Norvégien : «C'est un médecin fantastique! Il pouvait marcher des milles et des milles. Dommage qu'il ait eut un esprit aussi étroit... très étroit. Il avait un voile devant les yeux qui l'empêchait de voir plus loin que le bout de son nez quand il était question de religion.»

Au début de 1981, pendant une visite au collège Sherubtse, le père Mackey apprit que Lopen Jamphel souffrait d'une grave maladie. Durant le temps où William Mackey avait dirigé l'école, le *lopen* avait été un des membres les plus importants du personnel et était devenu pour le jésuite un conseiller fiable et un très bon ami. Le prêtre demanda donc à son chauffeur de conduire Lopen Jamphel à l'hôpital de Gauhati afin qu'il se fasse soigner. Dix jours plus tard, un professeur du collège se rendit à Gauhati, par affaires, et il apprit du médecin de l'hôpital que Lopen Jamphel souffrait d'un cancer en phase terminale. «On ne peut plus rien pour lui, avait dit le médecin. Ramenez-le chez lui le plus vite possible».

Les deux professeurs reprirent ensemble la route de Kanglung. Alors qu'ils passaient près de Khaling, Lopen Jamphel voulut s'arrêter au village pour parler au père Mackey, à qui il demanda : «S'il vous plaît, mon père, venez avec moi.» «Malheureusement, Lopen, dit le jésuite, je ne peux absolument pas m'absenter de l'école en ce moment. Nous allons demander au Lopen Ngawang de vous accompagner.»

Ils allèrent tous les deux voir l'autre *lopen* à l'école pour les aveugles, mais lui non plus ne pouvait quitter Khaling. William Mackey promit toutefois de se rendre visiter le malade pendant le week-end suivant. Il demanda donc à la petite fille de Lopen Jamphel d'accompagner son père jusqu'à Kanglung. Une fois à la maison, Lopen Jamphel s'étendit sur son lit et, dix minutes plus tard, il était mort.

La cérémonie de l'incinération de Lopen Jamphel attira à Kanglung beaucoup de personnalités importantes, dont plusieurs lamas, le Lam Neten et les moines du dzong. Elle eut lieu à l'école Sherubtse près du terrain de football. Le père Mackey et Lopen Ngawang s'y rendirent ensemble et apportèrent du riz ainsi qu'un don en argent pour contribuer aux frais de la cérémonie. À leur arrivée, on s'apprêtait à hisser le corps du professeur sur le bûcher. Malgré sa maladie, il était demeuré assez corpulent et requérait donc un bûcher imposant pour le consumer totalement. On plaça également sur le bûcher les corps de trois petits enfants décédés récemment. Le fait d'être incinérés en même temps que cet important *lopen* permettrait aux enfants de bénéficier ainsi des prières récitées par les moines.

La crémation se déroula normalement, du moins jusqu'à ce que l'on s'aperçoive que les cordes retenant le professeur avaient cédé. Le corps s'était redressé et était maintenant assis dans les flammes. Il arrive parfois pendant une incinération que les gaz prisonniers dans l'estomac du mort réagissent et fassent gonfler la paroi abdominale, brisant les cordes et redressant le corps. Le cadavre était maintenant en partie hors du feu et il fallait le recoucher afin qu'il brûle complètement. À l'aide de grandes perches, quelques personnes tentèrent de repousser le corps du vieux *lopen*. Cela pouvait ressembler à un passage à tabac en règle et quelques invités, les Indiens et les jésuites en particulier, furent passablement troublés de voir ainsi leur vieil ami traité de façon aussi cavalière. Le corps fut finalement remis en position, et la cérémonie put se poursuivre sans autre interruption. Au moment du repas, dont l'hôte était la personne décédée, certains invités étaient trop troublés pour y prendre part, on demanda alors au père Mackey de donner l'exemple en commençant. «Bien sûr, rien ne peut m'empêcher de manger», dit-il lorsqu'on lui offrit de la nourriture. Les autres, lentement, suivirent son exemple.

Alors que la cérémonie de crémation s'achevait, un des invités remarqua autour du soleil un anneau très visible. Personne ne pouvait expliquer ce phénomène. William Mackey est certain qu'il ne s'agissait pas d'une illusion ou d'un effet optique causé par la fumée. L'anneau était très net. Les Bhoutanais croyaient qu'il y avait un lien entre cet anneau et la crémation de Lopen Jamphel, qu'ils considéraient un homme saint. Le père Mackey, pour sa part, ne voulait pas tirer de conclusions hâtives. Il devait toutefois admettre que le phénomène était très impressionnant.

Les chiens errants ont toujours représenté un problème sérieux pour les écoles au Bhoutan. Ces bêtes se nourrissent des restes qu'ils trouvent près des cuisines et de ce que les élèves ou les professeurs leur donnent à manger. Le plus grand danger rattaché à leur présence était bien entendu la rage. Il semblait impossible, au Bhoutan, de trouver une solution à ce problème car, pour les bouddhistes, il n'est pas bien vu de tuer les animaux. À mesure que les écoles comme Sherutse et Jigme Sherubling s'agrandissaient, la population de chiens augmentait en proportion avec le nombre d'élèves. Quiconque aurait pensé se servir d'un fusil pour les éliminer aurait dû répondre de ses actes, car toute la population aurait été contre lui. Le risque n'en valait vraiment pas la chandelle.

Le père Mackey essaya diverses méthodes pour régler le problème, en commençant par le poison. Il semblait toutefois impossible d'empoisonner plus d'un chien à la fois, même s'il ordonnait au cuisinier de servir aux chiens dix assiettes de nourriture empoisonnée. D'une façon ou d'une autre, ils semblaient deviner que la nourriture n'était pas bonne et n'y touchaient pas. Le jésuite essaya ensuite de «déporter» la meute en Inde. S'il apprenait qu'un camion vide se dirigeait vers la frontière, il demandait à son conducteur de prendre avec lui quelques chiens. Et le chauffeur du jésuite, Prem, eut une idée encore meilleure. À chaque fois qu'il se rendait à Samdrupjongkar ou à Gauhati avec la jeep, il prenait les plus petites bêtes pour essayer de les vendre au marché de l'autre côté de la frontière.

Le frère Nick, l'étrange Canadien d'origine néerlandaise, préconisait une méthode plus ferme pour mettre fin au grave problème des chiens errants. Elle était simple, rapide et efficace. Il conservait toujours une barre de métal sous le siège de son véhicule et, d'un seul coup à la tête, il pouvait éliminer un chien. Un jour toutefois, la technique du frère Nick causa tout un émoi à l'école. Le père Mackey tenait une réunion avec des professeurs et des invités dans la salle de conférence de l'école Jigme Sherubling lorsque le frère Nick, à l'extérieur, aperçut un chien errant tout près. Il s'approcha du chien avec son tuyau de fer massif et lui donna un coup sur la tête. Mais le coup n'avait pas tué le chien, qui se mit à courir et trouva refuge dans la salle de conférence sous la table. Il avait une épouvantable blessure à la tête et saignait abondamment. Les personnes présentes étaient dégoûtés par ce spectacle, pendant que le frère Nick essayait toujours de rejoindre la bête pour lui porter le coup fatal. Il réussit finalement à le chasser de la pièce et à l'achever.

À bout de patience, le père Mackey demanda l'aide du ministre de l'Intérieur, son vieil ami, pour mettre fin d'une manière plus civilisée à l'invasion canine. Le ministre lui envoya donc un employé du ministère de l'Agriculture équipé de seringues pour administrer du poison aux chiens. Comme il était seul, le fonctionnaire demanda l'aide de William Mackey et lui dit : «Mon père, voulez-vous attraper le chien et bien le tenir pendant que je lui injecte le poison?» Mais le jésuite n'aimait pas du tout ce plan et il suggéra : «Donnez-moi plutôt la seringue! *Vous* attraperez le chien, et c'est *moi* qui injecterai le poison».

Comme aucun des deux hommes ne voulait, ou ne pouvait, attraper les chiens, le problème demeura entier, et la population canine continua à croître. Le ministre imagina alors une nouvelle solution; il envoya des tireurs d'élite de l'armée pour tuer les bêtes. C'est ainsi que deux militaires de la garnison de Yonphula, armés d'une vieille carabine, firent une entrée remarquée à Khaling. Ils allèrent sur le terrain de l'école et trouvèrent quelques chiens rassemblés près du réfectoire. Un soldat, probablement le meilleur tireur, épaula le fusil, tira et rata sa cible. Les animaux disparurent en coup de vent.

Les «tireurs d'élite» poursuivirent leur ronde autour de l'école tout l'après-midi, faisant feu à plusieurs reprises, mais ne tuant aucune bête. Le père Mackey en avait assez. Non seulement cet exercice dérangeait les étudiants et les mettait en colère, mais en plus il ne produisait aucun résultat probant. À la fin de la journée, en passant près du dortoir des filles où celles-ci étaient en train d'étudier, le jésuite aperçut une «meute» de chiens occupés à leurs activités coutumières. Il courut sur-le-champ alerter les soldats qui prenaient le thé dans la salle des professeurs. Le prêtre était disposé à leur accorder une dernière chance. Les trois hommes s'élancèrent vers l'endroit où se trouvaient les chiens, et le tireur visa à nouveau dans la direction générale de la meute. La balle passa au-dessus de la cible, fracassa la fenêtre du dortoir, fila entre les têtes de deux jeunes écolières et ressortit avec grand bruit par une autre fenêtre. Sœur Leonard, affolée, sortit en courant du dortoir des filles et en gesticulant comme une possédée. Après ce malheureux incident, la saison de la chasse aux chiens à l'école prit fin de manière abrupte et définitive.

Le poste de directeur de l'école Jigme Sherubling comblait le père Mackey et il n'avait aucune intention de prendre sa retraite. Toutefois, en 1982, il reçut la visite de l'évêque de Darjiling et du Supérieur des jésuites. Le père Mackey avait alors soixante-sept ans et avait été directeur d'école au Bhoutan depuis dix-neuf ans. Ses supérieurs croyaient que sa charge était devenue trop lourde pour un homme de son âge. C'est pourquoi ils voulaient le remplacer, comme directeur de l'école secondaire, par un homme plus jeune dont William Mackey deviendrait l'assistant.

Le père Mackey ne voulait pas s'attacher à un poste de direction uniquement par principe. Malgré son style peu orthodoxe en matière de religion, il avait toujours pris très au sérieux ses voeux et ses obligations de jésuite. Bien qu'il eût préféré conserver son poste de directeur, il n'avait pas l'intention de s'opposer aux changements que préconisaient ses supérieurs. Il se rendit donc à Thimphu en compagnie de l'évêque et du supérieur des jésuites afin de rencontrer Nado Rinchen, le directeur de l'éducation, pour lui faire part des changements envisagés.

Le remplaçant du père Mackey serait le père John Perry, qui avait enseigné à Sherubtse, Khaling et Punakha. Nado Rinchen accepta la proposition des jésuites, et le père Perry entra en fonction en 1983. Le père Mackey demeura à Jigme Sherubling à titre d'assistant du nouveau directeur et de professeur de mathématiques. Il n'avait cependant plus à s'occuper de toutes les tâches administratives ni à faire les longues heures de surveillance au dortoir. Il continua toutefois à s'occuper des activités sportives lorsqu'il en avait le temps.

Un peu plus tard dans la même année, Nado Rinchen rendit visite à William Mackey à Khaling pour lui offrir un poste de conseiller à Thimphu. Le jésuite accepta avec empressement de relever ce nouveau défi. Au mois de juillet, l'école Jigme Sherubling organisa une fête d'adieu pour honorer son ancien directeur. Peu après, le père Mackey quittait le Bhoutan oriental pour Thimphu, la capitale.

Chapitre 12

THIMPHU ÉTAIT DEVENU AVEC LE TEMPS LA VÉRITABLE CAPITALE DU BHOUTAN. Il s'agissait d'une ville relativement petite, avec une population d'environ 20 000 habitants, mais on y retrouvait tous les ministères du gouvernement et toutes les agences de coopération étrangères. Les édifices gouvernementaux étaient en majorité regroupés près de Tashichoedzong, tout juste au sud du dzong. Les bureaux du ministère de l'Éducation étaient situés à deux endroits différents : l'administration se trouvait tout près du dzong et les autres services (dont le bureau du père Mackey) étaient logés dans un édifice de trois étages près de l'école Changangkha, au nord-ouest du marché.

Ce nouveau poste dans la capitale permit au père Mackey d'être en contact étroit avec les membres du gouvernement et de l'administration publique. Il pouvait s'entretenir avec tout le monde lors des cérémonies officielles et des réunions mondaines. À Thimphu, l'élite de la hiérarchie gouvernementale comprenait une trentaine de personnes. Le jésuite en connaissait déjà plusieurs, comme Dawa Tsering (le ministre des Affaires étrangères), Nado Rinchen (le responsable de l'éducation) et plusieurs de ses anciens étudiants à Darjiling, dont Pema Wangchuk (le responsable de l'agriculture).

L'offre du gouvernement à William Mackey concernait un poste de conseiller en matière d'éducation. Toutefois, les hauts fonctionnaires indiens dans l'administration n'apprécièrent pas du tout qu'un étranger soit appelé «conseiller». On donna par conséquent le titre de «Secrétaire de la Commission bhoutanaise des examens» à la fonction qu'occupait le père Mackey, et, peu après, celui de «Coordonnateur des manuels scolaires et des programmes».

Le père Mackey avait beaucoup de travail à effectuer dans ses nouvelles fonctions. Il ne s'agissait pas vraiment de la retraite ou de l'allégement de sa somme de travail dont avaient parlé ses supérieurs l'année précédente. Comme responsable à la fois du système d'examens, des manuels scolaires et des programmes, son travail équivalait à deux emplois à temps plein. En 1985 conformément à la loi, il prit officiellement sa retraite à l'âge de soixante-dix ans et obtint la citoyenneté bhoutanaise. Le 25 octobre, le gouvernement lui remit une somme forfaitaire de 40 000 ngultrums (environ 4 300 dollars canadiens) pour ses 21 années passées au sein de la fonction publique. (Le ngultrum est l'unité de base de la monnaie bhoutanaise et équivaut approximativement à une roupie).

Le 26 octobre, le lendemain du début de sa retraite, le gouvernement offrit à William Mackey un nouvel emploi comme inspecteur en chef des écoles. La même chose était arrivée précédemment à Lopen Nado. Même si la loi obligeait les fonctionnaires bhoutanais à prendre leur retraite à soixante-dix ans, elle n'interdisait cependant pas de les réengager par la suite. «C'est une très bonne affaire pour nous, remarqua le père Mackey à Lopen Nado. Nous devrions prendre notre retraite plus souvent.»

À cette époque, l'inspection des écoles bhoutanaises ne représentait qu'une simple formalité. Si un problème survenait dans une école, on dépêchait à cet endroit un fonctionnaire pour le régler comme il le pouvait. Il n'y avait donc pas à proprement parler d'inspection systématique des institutions scolaires. Quelques années auparavant, le père Mackey et Dawa Tsering avaient essayé de faire comprendre aux autorités l'importance d'instaurer un système prévoyant des inspections régulières. Maintenant qu'il travaillait à nouveau à établir une politique efficace en éducation, le jésuite voulait que ce sujet soit abordé avec sérieux. Il rédigea un document préparatoire qu'il fit lire à Nado Rinchen, son patron. «C'est très bien, fit ce dernier. Vous ferez un bon inspecteur en chef des écoles.»

William Mackey était sans contredit la personne la plus qualifiée au Bhoutan pour occuper ce poste. Au début, cette fonction fut tout simplement ajoutée à ses autres tâches, mais, après quelques semaines, le jésuite et son patron durent se rendre à l'évidence que ce nouveau travail demandait beaucoup trop de son temps. Il abandonna sa fonction de responsable du système des examens, et on réorganisa la Division des manuels scolaires et des programmes afin qu'il puisse se consacrer principalement à ses nouvelles fonctions.

À la fin de 1985, le père Mackey fut donc nommé officiellement inspecteur en chef du réseau des écoles, même s'il avait déjà commencé son travail depuis un certain temps. Il lui fallait toutefois un adjoint, car le nombre de classes était beaucoup trop élevé pour lui seul. En outre, le jésuite ne voulait pas avoir la responsabilité d'inspecter tous les professeurs pour toutes les matières. Malgré sa vaste érudition, c'était tout simplement impossible. C'est pourquoi il devait s'entourer d'une petite équipe d'inspecteurs qualifiés.

Le père Mackey n'eut malheureusement pas le droit de choisir les membres de cette équipe, et elle ne fut pas à la hauteur de ses attentes. Pour lui, les qualités requises des candidats devaient être l'expérience et la capacité d'écoute. Au ministère cependant, les critères d'embauche ne semblaient pas très bien définis. La compétence des inspecteurs variait beaucoup, et plusieurs d'entre eux ne possédaient pas les qualités nécessaires à un bon inspecteur. On racontait même dans les couloirs du ministère qu'on les avait nommés à ce poste parce qu'il n'y avait pas d'ouverture pour eux ailleurs dans le réseau.

La fonction d'inspecteur en chef signifiait encore plus de travail pour William Mackey, même s'il trouvait ce poste intéressant et stimulant, car il aimait bien s'adresser aux gens directement. D'une part, les inspections lui permettaient de se retrouver à nouveau dans les salles de cours, de travailler avec les professeurs et même, à l'occasion, d'enseigner. Mais d'autre part, il devait voyager beaucoup, souvent dans des conditions très difficiles. Compte tenu du calendrier scolaire, les inspections avaient souvent lieu durant la saison des pluies (de la mi-juin au mois d'octobrequi rendaient les routes presque impraticables. Les retards pouvaient parfois durer des jours. En outre, les vallées du sud du pays se transforment à cette période de l'année en véritables jungles au climat tropical. Les conditions chaudes et humides y étaient carrément insupportables. Voyager dans ces conditions représentait un aspect vraiment désagréable de ce travail.

L'inspection des écoles ne consiste pas uniquement à s'asseoir dans les classes et à regarder les professeurs donner leur cours. Il fallait aussi faire de longues heures de route, passer du temps à écouter les étudiants et à régler tous les problèmes. L'inspecteur effectuait souvent son travail le plus utile après les heures de cours, en discutant avec le directeur et les professeurs. En outre, il arrivait que des écoles dans des coins reculés soient coupée s du reste du pays pendant des mois. Le personnel de ces institutions avait donc souvent besoin de contacts humains. Comme le disait William Mackey : «Ils avaient surtout besoin d'amitié. Il fallait s'asseoir avec eux, les écouter et les comprendre.»

Pour William Mackey, il existait une énorme différence entre la réalité que vivaient les professeurs et la conception que s'en faisaient les fonctionnaires du ministère de l'Éducation. Le jésuite savait bien que ses rapports demeuraient la plupart du temps lettre morte auprès du ministère. C'est pourquoi il croyait que l'écoute des professeurs et des directeurs d'école était si importante.

Durant ses visites, le jésuite devait souvent dormir dans les classes, à même le plancher, un banc ou une table. Il devait également s'accommoder de conditions très rudimentaires pour sa toilette et ses repas. Plusieurs voyageurs qualifiaient les déplacements sur les routes bhoutanaises de terrifiants et d'épuisants. Toutefois, le père Mackey avait réussi au cours des ans à s'habituer au mode de vie difficile du Bhoutan. Avec son chauffeur et ami Mindu au volant, il trouvait quant à lui ces voyages plutôt reposants et une bonne occasion pour récupérer. Il éprouvait généralement de la fatigue lorsqu'il quittait une école, mais deux ou trois heures passées sur le siège de passager de la jeep le remettaient en bonne forme.

Pour un homme de plus de soixante-dix ans, William Mackey avait un horaire très chargé. D'ailleurs, le Supérieur des jésuites croyait qu'il était temps pour lui de réduire ses activités. Il communiqua même cette opinion au ministère de façon non équivoque en leur disant : «Vous devriez donner à cet homme un emploi moins astreignant». Mais, tant qu'il s'en sentait capable, le père Mackey était heureux de pouvoir continuer son travail. En 1990 toutefois, il dut admettre que sa condition physique ne lui permettait plus de continuer à un tel rythme. Il lui était devenu impossible de gravir les montagnes comme il le faisait auparavant, et ses yeux étaient fatigués après toute une journée au bureau. Malgré ces petits désagréments, il se sentait en pleine forme et disait : «Je pense que j'en fais encore plus que bien des gens.»

On demandait souvent au père Mackey d'être l'invité d'honneur lors de fêtes dans les écoles et d'assister à diverses réceptions, officielles ou non. L'une des réceptions les plus étranges à laquelle il eût l'occasion de participer se déroula peu après son arrivée à Thimphu. Il y avait dans cette ville, au début des années 80, un concours menant au couronnement de Miss Thimphu. Il s'agissait d'un événement visant à amasser des fonds pour les organismes de charité, et on attendait de chacun à ce qu'il soit présent à la grande soirée. Précaution bien superflue puisque, de toute façon, personne ne voulait la manquer.

Même si selon les standards occidentaux le concours était plutôt conservateur, il était néanmoins très amusant pour la population bhoutanaise qui y assistait. Les jeunes femmes candidates défilaient dans des vêtements traditionnels, puis dans des robes de style plus moderne. Mais il n'était pas question pour elles, bien sûr, de porter un bikini. Ce n'est pas que les Bhoutanais soient des gens prudes, mais exposer des parties dénudées de leur corps ne fait pas partie de leurs coutumes.

Le père Mackey apprécia beaucoup le spectacle, applaudissant et encourageant bruyamment les participantes à chacune des occasions. Tout le monde se connaissait dans la salle, y compris les jeunes femmes sur scène. Paljor Dorji, le fils du défunt premier ministre, était le maître de cérémonie. À un certain moment, il demanda au jésuite de se présenter à l'avant. Celui-ci s'avança vers la scène, et on lui fit signe d'aller derrière le rideau. Il venait d'être choisi candidat pour le concours des plus beaux genoux de Thimphu! Les hommes portaient tous un *go* et devaient se placer derrière le rideau, que les préposés levaient alors jusqu'à mi-cuisses, exhibant ainsi les genoux des participants. Le maître de cérémonie pointait alors chaque paire de genoux, et les spectateurs applaudissaient selon leur degré d'appréciation.

Le père Mackey pensa qu'il avait peu de chance de l'emporter, avec ses genoux blancs. En fait, ses jambes étaient bien bronzées à force de porter son *go* depuis des années, mais la compétition était néanmoins féroce. Un des participants était le capitaine Kado, un des gardes du roi, qui possédait de véritables genoux d'athlètes. Le capitaine Kado remporta le premier prix, mais tous les participants reçurent un certificat pour les remercier d'avoir participé au concours. Le père Mackey envoya son prix à sa sœur Tess, au Canada, qui fut très étonnée d'apprendre que son frère avait participé à un concours de beauté.

Au fil des ans, il avait été impossible pour le père Mackey, comme pour tous les étrangers en poste dans cette région, de voyager librement en Inde et de revenir ensuite au Bhoutan. Les lois indiennes étaient très strictes à ce sujet. À la fin de son séjour au Bhoutan oriental, il était par contre maintenant possible de voyager directement d'une région à l'autre du pays. Les routes demeuraient toutefois incertaines, et la plupart des gens préféraient encore passer par l'Inde.

Pendait qu'il était directeur d'écoles au Bhoutan, William Mackey planifiait généralement ses déplacements longtemps à l'avance. Son emploi du temps devint par contre beaucoup moins régulier après son déménagement à Thimphu. Il devait souvent quitter la ville dans les plus brefs délais. S'il devait aller d'urgence à Samtse, comme c'était souvent le cas, il avait de sérieux problèmes. En effet, il lui fallait environ six mois pour obtenir un permis de transit des autorités indiennes. Ces problèmes reliés aux déplacements rendaient son travail encore plus difficile. Le jésuite parla un jour de ses difficultés avec Dawa Tsering qui était, à cette époque, le ministre des Affaires étrangères. Ce dernier trouva une solution originale pour régler son problème et lui demanda : «Pourquoi ne devenez-vous pas citoyen bhoutanais?»

Un fonctionnaire aussi important n'aurait jamais fait une telle proposition s'il n'avait su à l'avance que le gouvernement accepterait la demande de citoyenneté. Probablement que Lyonpo Dawa et le roi en avaient déjà discuté. Après quelques secondes de réflexion, le père Mackey dit au ministre : «C'est parfait. Donnez-moi cette citoyenneté.» Le 8 mars 1985, le roi signa le document officiel (*kashog*) qui faisait du père Mackey un citoyen à part entière du Bhoutan. Le document se lisait ainsi : *«Nous sommes heureux d'accepter le Révérend Père William Mackey comme sujet loyal à compter de ce jour, et nous lui conférons par les présentes tous les droits, privilèges et devoirs accordés aux citoyens du Bhoutan.»*

Les Bhoutanais peuvent traverser librement la frontière avec l'Inde, ce qui simplifierait les voyages de William Mackey. Lyonpo Dawa avait toutefois prévu que la citoyenneté fraîchement acquise du jésuite serait probablement contestée par les autorités indiennes. Par conséquent, en plus de sa carte d'identité, il lui remit un passeport pour faciliter ses déplacements. De façon générale, le gouvernement du Bhoutan n'émet de passeport qu'aux citoyens qui doivent voyager à l'étranger, sauf pour l'Inde, et ceux-ci ne l'ont en leur possession que lorsqu'ils sortent du pays. Quand ils reviennent au Bhoutan, ils doivent remettre leur passeport au ministère des Affaires étrangères, qui le conserve jusqu'à leur prochain voyage.

Pour le premier voyage du jésuite à Samtse comme citoyen bhoutanais, Lyonpo Dawa lui proposa d'utiliser le permis de transit au cas où le douanier n'aurait pas été averti de sa nouvelle citoyenneté. Le père Mackey croyait qu'il s'agissait-là d'une sage décision et il n'utilisa pas son nouveau passeport.

Lors du périple suivant toutefois, il prit la décision de voyager comme Bhoutanais, sans permis. Il s'arrêta au bureau de l'immigration pour expliquer le changement dans sa situation. Il sortit le *kashog* de son *go* et le montra au responsable. En signe de bonne volonté, il était même prêt à laisser le document au poste frontière durant son séjour en Inde. L'homme regarda le *kashog* sans comprendre et dit : «Mais... C'est impossible. Vous... Vous ne pouvez pas être un Bhoutanais». L'humour habituel du père Mackey sembla, pour une fois, se tarir face à cette nouvelle démonstration d'incompréhension, qui ressemblait à s'y méprendre à de la mauvaise foi. Il reprit le document des mains du douanier et lança : «Bon! Si c'est ainsi... En tant que citoyen bhoutanais, je n'ai pas à passer par le poste de contrôle n'est-ce pas?

— Non.

— Je suis maintenant un Bhoutanais, et vous ne m'y reverrai donc plus à l'avenir.

— Mais vous n'êtes pas un Bhoutanais.

— Et ça, qu'est-ce que c'est? demanda le jésuite en brandissant son passeport. C'est un passeport du Bhoutan, tout ce qu'il y a de plus authentique!

— Vous n'avez pas le droit de posséder ce passeport, dit le douanier.

— Je n'ai pas le droit? Et qui êtes-vous donc pour décréter ça?

— Bon d'accord, reprit l'Indien après un moment de réflexion. Vous avez le passeport. Mais, je dois l'inscrire.

— Faites, mon bon ami. Inscrivez-le s'il le faut. Pas de problème. Mais c'est la dernière fois que je m'arrête.

— Non, non, non. Vous devez vous présentez. S'il vous plaît.

— Écoutez. Il n'est pas nécessaire pour un citoyen du Bhoutan de faire une déclaration. Pourquoi, moi, je devrais le faire?

— Nous n'avons pas reçu d'instructions du bureau chef à cet effet.

— De quelles instructions avez-vous besoin? Vous n'avez pas à vérifier les citoyens bhoutanais.

— Oui... Mais vous n'êtes pas Bhoutanais.

— Regardez! Qu'est-il écrit ici? fit le père Mackey en lui montrant à nouveau son passeport.

— Euh... fit le fonctionnaire, pris au dépourvu. Je vous le demande encore une fois. S'il vous plaît. Avertissez-moi quand vous repasserez la frontière. Je veux être mis au courant de vos déplacements.

— Écoutez, dit le jésuite d'un ton plus conciliant. Je viendrai vous prévenir à mon retour de Samtse. Mais ce sera la dernière fois.»

Quelques jours plus tard, il s'arrêta comme prévu au bureau de l'immigration. «Je vous préviens, répéta le père Mackey. C'est la dernière fois...» Lors des voyages subséquents, le jésuite passait sans s'arrêter au poste frontalier indien. De toute façon, le trafic était à ce point chargé sur cette rue de Jaigon que personne ne remarquait une automobile qui passait sans s'arrêter à la frontière, même si le passager était blanc.

Une seule fois, un garde remarqua le père Mackey et voulut vérifier ses papiers. Il sortit de son poste de contrôle et fit signe au jésuite d'immobiliser son véhicule en disant : «Vos papiers, s'il vous plaît.» «Quels papiers? répondit le père Mackey. Je suis citoyen bhoutanais.» Le garde étudia attentivement le jésuite en pensant que celui-ci le croyait stupide «Vos papiers», répéta-t-il. Le père Mackey lui montra son passeport, que le garde examina soigneusement. Fort probablement, cet homme ne savait pas lire l'anglais, et sûrement pas le dzongkha. «Suivez-moi», dit il au jésuite. William Mackey poussa un long soupir et proposa au garde d'aller se renseigner aux bureaux de l'immigration : «Ils sont au courant là-bas et ils ont des copies de tous les documents. Ils savent que je suis maintenant citoyen bhoutanais et que je n'ai pas à m'arrêter. Allez à l'intérieur et demandez le dossier du père Mackey. Il y a un énorme dossier me concernant. Ils savent tout sur moi... Moi, je reste ici.» Puis il reprit son passeport des mains du garde en le remerciant et fit signe à Mindu, son chauffeur, d'avancer. Le garde les regarda s'éloigner, puis rentra à l'intérieur de sa guérite.

Quelque temps plus tard, dans des circonstances similaires, le père Mackey fit face à un fonctionnaire un peu plus récalcitrant. Il revenait d'un voyage dans le centre-sud du Bhoutan et tentait de regagner Thimphu en passant par Geylegphug et Phuntsholing. En approchant du poste frontalier de Samtibari près de Geylegphug, il aperçut trois véhicules alignés sur la route et le garde en train d'abaisser la barrière. Cette procédure exceptionnelle signifiait sans aucun doute que le garde était un nouveau venu un peu zélé. À la barrière, Mindu sortit du véhicule et dit au garde que lui et son passager étaient tous deux bhoutanais. Mais le garde ne croyait pas à la citoyenneté bhoutanaise du père Mackey. Après de longs palabres, celui-ci joua en désespoir de cause la carte de l'intimidation et menaça le douanier indien de se plaindre de lui à l'ambassadeur. Impressionné par le ton sévère du jésuite qui ne laissait aucun doute sur ses intentions, le garde céda et leva finalement la barrière.

Peu importe l'endroit où le père Mackey traversait la frontière, il semblait toujours y avoir un problème quelconque. Souvent, la seule façon de régler la question était de menacer les fonctionnaires de réprimandes s'ils ne le laissaient pas passer. «C'est un problème de bureaucratie, disait le père Mackey. Ces gens reçoivent des ordres et ils ne peuvent pas prendre de décisions par eux-mêmes. Ils paniquent quand leur petit manuel ne prévoit pas une situation particulière. J'imagine qu'ils ont peur de prendre une mauvaise décision et de perdre leur poste.»

Le père Mackey ne possédait pas de véhicule lorsqu'il arriva à Thimphu pour son nouveau travail. Il devait donc parcourir à pied la distance entre sa demeure et son bureau. Un jour de forte pluie, Ashi Dechen, la soeur du roi, le vit marcher sur le coté de la route et s'arrêta pour lui parler. Elle connaissait bien le jésuite, à qui elle avait apporté un soutien indéfectible durant ses nombreuses années au Bhoutan oriental. La princesse lui demanda où se trouvait sa voiture et fut surprise d'apprendre qu'il n'en possédait pas.

Le lendemain, William Mackey avait à sa disposition une belle Toyota familiale presque neuve. Ashi Dechen et son mari, Dasho Thinley, avaient prêté leur automobile au jésuite afin qu'il n'ait plus à marcher jusqu'à son travail. Pour ses déplacements, Dasho Thinley devrait dorénavant se servir de sa jeep. Quelques mois plus tard, le jésuite apprit que frère Nick allait recevoir une nouvelle automobile de John Goelet, et il écrivit à ce dernier pour lui demander s'il pouvait utiliser l'ancienne pour ses besoins personnels. Le millionnaire lui répondit sans délai et, avant même que le frère Nick ne reçoive son véhicule, le père Mackey devenait l'heureux propriétaire d'une Toyota Land Cruiser bleue toute neuve. Le gouvernement payait les plaques d'immatriculation, l'essence et les réparations.

De plus, le ministère de l'Éducation payait le salaire du chauffeur du père Mackey, qui lui servirait également d'adjoint. Mindu était un Drukpa plutôt trapu à la figure toute ronde et au regard sérieux. Il riait toutefois de temps à autre, surtout quand le jésuite lui racontait une bonne blague. Avant que le père Mackey ne reçoive l'automobile de Ashi Dechen, fournie avec chauffeur, c'est Mindu qui conduisait le jésuite dans ses déplacements un peu partout à travers le pays au volant d'un véhicule du gouvernement. La nomination d'un autre chauffeur ne lui avait pas plu du tout. Maintenant que le père Mackey possédait sa propre voiture, Mindu était très heureux de reprendre son poste. C'est le prêtre lui-même qui avait exigé qu'on emploie Mindu quand le ministère lui avait offert de mettre un chauffeur à sa disposition. Il le connaissait et savait qu'il conduisait bien, une qualité rare dans un pays reconnu pour ses mauvais conducteurs. Mindu prenait grand soin du véhicule et était un employé fidèle et dévoué. Les deux hommes devinrent de bons amis.

Mindu demeurait dans le quartier du bazar, où il possédait un bout de terrain sur lequel était bâtie une petite maison toute simple. Il y vivait en compagnie de sa femme et de ses enfants. Il emmenait l'automobile à sa demeure tous les soirs et, le lendemain matin, il passait prendre le père Mackey chez lui à huit heures. Après le travail, Mindu ramenait le jésuite à sa résidence et préparait son repas, avant de retourner chez lui.

À son arrivée à Thimphu, William Mackey demeurait dans une maison à flanc de montagne, au-delà de Changangkha, dans le quartier de Motithang. Ashi Dechen n'aimait toutefois pas l'édifice et arrangea son déménagement dans un des nouveaux bungalows construits pour les coopérants des Nations Unies travaillant au programme de développement. L'emplacement se trouvait à moins d'un kilomètre de Changangkha. Les maisons étaient jolies et tranquilles, mais le père Mackey ne s'y sentait pas à l'aise. Il était la seule personne à cet endroit qui ne travaillait pas pour les Nations Unies. Par ailleurs, il avait pris l'habitude de vivre parmi les Bhoutanais et les Indiens. Il se sentait inconfortable dans ce quartier habité par des étrangers bien rémunérés. Il aurait préféré un environnement plus «bhoutanais».

L'année suivante, le jésuite trouva une maison de style plus typiquement bhoutanais à louer. Elle était située sur une colline près de Memorial Chorten, dans la partie sud-ouest de la ville. Elle appartenait à la bru de Ten Dorje, son vieil ami de Tashigang. C'était une construction assez spacieuse, et le père Mackey demanda à Mindu de venir s'y installer avec sa famille.

Mindu vendit donc pour un bon prix sa maison au coeur de Thimphu et emménagea avec toute sa famille dans la résidence de William Mackey. Le prêtre connaissait peu la femme de Mindu, qui s'appelait Kunzang Chhoedron. Contrairement à son mari, elle souriait toujours, parlait sans arrêt et aimait beaucoup plaisanter. Le couple avait trois enfants : deux jolies filles intelligentes et animées, et un garçon plus discret mais tout aussi intelligent. La maison pouvait accueillir toute une famille, mais le jésuite décida de faire construire une petite maison en retrait pour qu'ils y soient tous plus à l'aise. La cohabitation fut dès lors fructueuse; Kunzang Chhoedron s'occupait des tâches domestiques, tandis que Mindu pouvait consacrer tout son temps à son travail de chauffeur et d'adjoint du père Mackey.

Le père Mackey et la famille de Mindu déménagèrent dans une autre demeure en 1988, car le loyer de la maison au nord de Thimphu était devenu inabordable pour leurs maigres revenus. Le prix pour les habitations avait monté en flèche avec l'afflux massif d'étrangers travaillant pour des organisations internationales d'aide au développement. Il était devenu difficile de trouver un logis décent pour moins de 5000 *ngultrums* (environ 400 dollars). Une telle somme était beaucoup trop élevée pour les maigres ressources de William Mackey.

Vers la même époque, plusieurs maisons appartenant au gouvernement furent mises à la disposition des employés de la fonction publique à la suite d'un changement dans la politique concernant l'habitation. Le père Mackey réussit à mettre la main sur une maison de bonnes dimensions, d'inspiration bhoutanaise, située tout juste au nord de l'école secondaire de Motithang. Elle comportait deux étages, le premier fait de béton et le second de bois. À l'étage supérieur, il y avait une grande chambre à coucher, une chapelle, une salle à dîner et une pièce centrale qui pouvait servir de salle de séjour ou de salon. On y trouvait aussi une cuisinette et une salle de bains. L'étage du bas comprenait quatre chambres, dont l'une fut transformée en salle de bains. Il y avait également une grande pièce centrale, le hall d'entrée et une grande pièce à l'arrière réservée exclusivement à l'usage de la famille de Mindu.

Peu de temps après le déménagement, d'autres personnes vinrent aussi habiter dans cette maison. Le gouvernement avait décidé de confier dorénavant la direction des écoles uniquement à des Bhoutanais et, par conséquent, le frère Nick, le père Leclaire et le père Miranda furent transférés au ministère de l'Éducation à Thimphu. Le père Mackey les accueillit dans sa maison mais, moins d'un an plus tard, ils avaient tous quitté le Bhoutan. Après leur départ, la famille de Mindu et William Mackey purent reprendre leur vie dans un certain confort. Pendant que Mindu et Kunzang Chhoedron s'occupaient de rendre plus facile la vie du jésuite, celui-ci passait beaucoup de temps avec les enfants et les aidait dans leurs travaux scolaires. Il aida même le garçon à entrer à l'école préparatoire de Tongsa et, plus tard, à l'école secondaire Punakha, ce qui représentait pour lui un meilleur choix que de demeurer à Thimphu.

Pour Mindu et Kunzang Chhoedron, le père Mackey était un très bon patron. Mindu pouvait utiliser la voiture pour ses propres besoins et ceux de sa famille, mais n'abusa jamais de ce privilège. En fait, leur cohabitation ressemblait un peu à une famille élargie. Le couple s'occupait très bien du prêtre, pourvoyait à tous ses besoins et veillait sur sa santé. Ils s'assuraient également que personne ne profite indûment de la bonne nature du jésuite. Pour sa part, le père Mackey traitait les enfants de la famille un peu comme s'ils étaient ses propres petits-enfants.

Ils prenaient cependant leurs repas séparément. Mais il s'agissait plus d'une question de tradition et de commodité qu'autre chose. Kunzang Chhoedron était une excellente cuisinière. Elle préparait toujours un menu varié pour le père Mackey : mets bhoutanais, indiens ou occidentaux. Pour sa famille, elle cuisinait surtout des mets bhoutanais. Le jésuite préférait manger tôt, assis à la table, alors que la famille prenait ses repas plus tard à la mode bhoutanaise, assis sur le plancher.

Le père Mackey aimait bien prendre un apéritif avant les repas. Il avait toujours quelques bouteilles en réserve pour offrir un verre à ses invités et se régaler lui-même : en général du scotch et du cognac offerts par ses amis ainsi que des liqueurs bhoutanaises et des bières indiennes. Lorsque Kunzang Chhoedron désirait prendre un verre (Mindu ne prenait aucun alcool), elle préférait un produit local, le *chang* (bière bhoutanaise) ou l'*ara*. Si un invité du père Mackey désirait lui-aussi une boisson bhoutanaise, elle puisait généralement dans sa propre réserve.

Tous les dimanches matin, le père Mackey disait la messe à 10 h 30 pour la petite communauté d'étrangers catholiques en poste au Bhoutan, dans la chapelle aménagée dans la plus grande pièce de la maison. Il donnait quelquefois un deuxième service à 6 heures le soir. Le matin, une trentaine de personnes assistaient habituellement à la messe. Kunzang Chhoedron servait le thé après la cérémonie et offrait également un petit goûter, mais aucun membre de sa famille n'assistait à la messe. Ils étaient de religion bouddhique et avaient aménagé leur propre autel dans une chambre de l'étage du bas pour leurs prières. William Mackey ne désirait intervenir d'aucune façon dans leur vie religieuse.

Les années 80 furent pour le père Mackey remplies d'honneurs et de célébrations. En 1982, il retourna au Canada pour fêter le cinquantième anniversaire de son ordination comme jésuite. Cinq ans plus tard, on l'avisa qu'il venait d'être intronisé au *Loyola High School Hall of Merit*, une institution qui prône une vision de l'éducation dépassant les limites purement académiques et, en particulier, un développement basé sur l'enseignement et les actions de Jésus-Christ. Pour certaines personnes, une telle intronisation peut paraître une bien faible reconnaissance. Il est toutefois bon de noter que plusieurs personnages célèbres font partie de cette institution, dont le grand théologien Bernard Lonergan et l'ancien gouverneur général du Canada l'Honorable Georges Vanier.

La cérémonie d'intronisation eut lieu le 22 avril 1988. Le père Mackey fit son entrée dans la salle vêtu d'un *go*. Il y avait six professeurs bhoutanais présents à la cérémonie, vêtus eux-aussi de l'habillement traditionnel de leur pays. Il s'agissait de professeurs qui étudiaient à ce moment à l'Université du Nouveau-Brunswick. Jigme Thinley, le représentant permanent du Bhoutan aux Nations Unies, fit le voyage tout spécialement de New York pour assister à ce grand moment dans la vie du jésuite qui avait tant contribué au développement de son pays.

Pour le père Mackey, ce voyage fut le plus agréable de ses séjours au Canada depuis son départ pour la Grande-Bretagne et l'Inde plus de quarante ans auparavant. La présence de Bhoutanais à la cérémonie d'intronisation y était pour beaucoup. Quelque temps plus tard, l'organisateur de la soirée écrivit au père Mackey : «Nous pouvions voir à quel point vous étiez à l'aise avec les gens de votre peuple d'adoption, et eux avec vous...»

William Mackey avait apporté au Canada un *chorten* miniature fait de bois. Un *chorten* est un monument religieux traditionnel du

Bhoutan, généralement construit en pierre. Pendant son allocution, le jésuite raconta que ses étudiants à Jigme Sherubling avaient construit quelques années plus tôt un *chorten* pleine grandeur. Il expliqua également la valeur religieuse de ce monument et remit le *chorten* de bois à l'école secondaire Loyola en remerciement de l'honneur qu'on lui faisait. Il tenait également à rendre hommage à son ancien collège pour l'éducation qu'il y avait reçue et pour l'esprit de famille qui l'habitait. Selon lui, cet enseignement lui avait été d'un grand secours tout au long de son séjour au Bhoutan.

Ce voyage de William Mackey au Canada était son second en moins de quatre mois. Quelques mois plus tôt, à la fin de 1987, il était revenu dans son pays natal pour célébrer la fête de Noël avec sa famille. Cette visite était prévue depuis longtemps, et il n'avait pas voulu l'annuler même s'il devait revenir peu de temps après. Pendant l'escale à New York, le jésuite donna un coup de fil à son vieil ami Jigme Thinley, qui travaillait maintenant aux Nations Unies. Le représentant permanent du Bhoutan à cet organisme, ravi de savoir que le père Mackey était à New York, l'invita à lui rendre visite aux Nations unies.

Le jésuite se rendit donc à l'édifice de l'organisation internationale sur le boulevard Franklin D. Roosevelt. Son ami ne pouvait toutefois le recevoir immédiatement, car il devait assister à une réunion importante. «Mon père, pourquoi n'en profitez-vous pas pour assister à une session de l'Assemblée générale», suggéra Jigme Thinley. Le père Mackey pensait qu'il s'agissait-là d'une excellente idée. On lui remit les autorisations nécessaires, et il se rendit à l'assemblée en compagnie de deux représentants du Bhoutan. Il y avait trois sièges réservés pour la délégation du Bhoutan à l'intérieur de la grande salle d'assemblée. Le père Mackey put donc s'asseoir avec les deux délégués pour suivre les délibérations qu'il trouva passionnantes.

Les délégués devaient voter sur différents sujets en appuyant sur des boutons alignés devant eux sur leur pupitre. Il y avait trois boutons : «OUI», «NON» et «ABSTENTION». Le père Mackey demanda au délégué s'il pouvait enregistrer le vote : «Au prochain vote, laissez-moi appuyer sur le bouton. Dites-moi seulement sur lequel choisir.» La position officielle du Bhoutan sur le sujet de discussion suivant était de s'abstenir. Le jésuite appuya sur le bouton «ABSTENTION» et fut ravi de voir le résultat s'afficher au tableau : «Bhoutan - abstention».

La plus grande célébration en l'honneur du père Mackey eut lieu à Thimphu au mois d'août 1989. Cette fête de reconnaissance était organisée par un groupe composé de ses anciens élèves. Comme le jésuite avait maintenant soixante-quinze ans, on proclama la fête le Jubilé de platine. On avait pensé, pour l'occasion, rassembler le plus grand nombre d'anciens élèves à la piscine du centre sportif de Thimphu. À quatre heures de l'après-midi, les invités commencèrent à se réunir à l'entrée de la grande salle. Ils devaient être présents pour accueillir le jésuite à son arrivée, prévue pour cinq heures.

William Mackey fit son entrée au son de la musique de la fanfare de l'Armée royale du Bhoutan, dans une de ses rares apparitions publiques. Il portait un *go* très élégant, tissé à la main, que l'on ne devait porter que lors de cérémonies très spéciales. Plusieurs personnes s'avancèrent pour lui offrir un *kata*, qu'ils placèrent autour de son cou. En allant de l'entrée jusqu'à la grande salle, le jésuite, entouré des organisateurs et de ses amis, salua la foule de sa façon coutumière, très chaleureuse. Tout le groupe s'arrêta une fois qu'ils eurent atteint les marches de l'enceinte, le temps de prendre une photographie. Le père Mackey fut alors littéralement pris d'assaut par tout le groupe composé d'amis, de confrères, de gens d'affaires, de ministres du gouvernement, de diplomates et de bien d'autres personnes. Certains d'entre eux le connaissaient depuis quarante ans; d'autres seulement depuis quelques semaines.

La fête se poursuivit à l'intérieur, où les organisateurs avaient monté une exposition photographique retraçant toute la période depuis que le père Mackey était en poste au Bhoutan. Certaines photos dataient de 1964. On pouvait y voir les «exploits» de plusieurs anciens élèves du jésuite, dont certains avaient participé à l'organisation de la fête. Après la visite de l'exposition, on servit des rafraîchissements aux invités; il était cinq heures, l'heure du thé. Les quelque 200 invités prirent place dans la salle pour prêter le serment d'allégeance. Il s'agissait d'une ancienne version, d'origine inconnue, dont le père Mackey avait tiré une adaptation pour les écoles du Bhoutan oriental. Elle se lisait comme suit : «Le Bhoutan est mon pays, tous les Bhoutanais sont mes frères et soeurs. J'aime mon pays, et je suis fier de notre riche patrimoine aux origines multiples. Je dois toujours m'efforcer d'en être digne. Je dois traiter mes parents, mes professeurs et les aînés avec tout le respect qui leur est dus. Je me dois d'être bon envers les animaux. À mon roi, j'accorde tout mon dévouement, car le bonheur de mon pays repose dans son bien-être et sa prospérité.»

Jigme Tshultim prononça ensuite un mot de bienvenue, puis on procéda à la distribution de l'album des étudiants. Le livre comprenait plus de 80 pages de photographies, de textes d'élèves et d'autres souvenirs se rapportant à la vie et à l'œuvre du père Mackey au Bhoutan. Le programme de la soirée prévoyait par la suite une heure de divertissement. Il y eut une lecture de poèmes, suivie d'un ensemble musical qui interpréta des airs du Bhoutan et d'ailleurs. Le numéro le plus populaire fut, sans contredit, la prestation des anciens étudiants qui, se rappelant le bon vieux temps, refirent leurs numéros de gymnastique et reprirent les chansons qui avaient marqué leurs années scolaires. Les anciens élèves se moquèrent gentiment du père Mackey et de nombreuses autres personnes. À la fin du spectacle, les membres de l'auditoire poussèrent des cris pour manifester leur appréciation, et personne ne rit davantage que le père Mackey.

À sept heures, on réduisit l'éclairage de la salle et on amena deux immenses gâteaux à trois étages, recouverts de bougies. Les organisateurs avaient préparé le premier, et la reine mère en avait commandé un second afin qu'il y en ait suffisamment pour tous les invités. Elle avait eu raison de prendre cette précaution, puisque la salle était comble. Ugyen Tenzin, qui faisait partie du comité d'organisation, présenta ensuite le cadeau officiel au père Mackey. Il avait été un élève du jésuite, et c'est lui qui avait provoqué une folle poursuite avec les autorités indiennes en ramenant le père Mackey à Samdrupjongkar après les événements de 1976. Il était maintenant secrétaire adjoint au ministère des Finances. Le cadeau consistait en un ensemble vestimentaire complet de la meilleure qualité : un *go* et une ceinture tissés à la main, un *kabney* de soie, un *toego* (chemise) et des bottes bhoutanaises de facture artisanale.

On présenta également plusieurs autres cadeaux à William Mackey, puis il y eut quelques petits discours rendant hommage au jésuite et à son immense contribution au développement du système d'éducation du Bhoutan. Entre autres, Paljor Dorji, le fils du défunt premier ministre et ancien élève du jésuite, prononça un témoignage émouvant sur l'importance qu'avait eu sur son pays le travail du père Mackey. Paljor Dorji essaya de s'imaginer ce qu'aurait dit son père lors d'une telle soirée. C'était lui qui avait invité le prêtre à s'installer au Bhoutan, et il lui aurait probablement dit en cette occasion : «Très bon travail, mon père!»

Le plus haut représentant du gouvernement à la fête était Lyonpo Dawa Tsering, l'un des plus grands amis du père Mackey. Il était probablement la personne au Bhoutan la mieux placée pour relater tous les accomplissements du jésuite. Il avait également une perspective différente de celles des étudiants. Comme fonctionnaire, il avait suivi la carrière du père Mackey de plus près que quiconque, du jour de son arrivée à Paro en 1963 jusqu'à ce jour de célébration. Ne voulant pas atténuer la gaieté qui animait la fête, Lyonpo Dawa se contenta de mentionner quelques aspects exceptionnels de la fête elle-même : le gâteau présenté par la reine mère, la présence de hauts fonctionnaires qui n'avaient pas hésité à danser sur scène et le tribut des étudiants.

Dawa Tsering mentionna aussi un fait dont peu de personnes parmi l'assistance avait eu vent. Quelques années auparavant, William Mackey s'était fait voler sa médaille Druk Zhung Thuksey, que lui avait offert le roi en l'élevant au titre de «Fils spirituel du Bhoutan». Le père Mackey avait essayé de garder secret ce vol. Toutefois, lorsque les organisateurs de la fête lui avaient demandé de porter la médaille pour l'occasion, il avait dû admettre qu'il ne l'avait plus. Quelqu'un lui fit la suggestion d'en demander une nouvelle au roi mais, bien entendu, le jésuite lui dit qu'il ne pouvait entreprendre une telle démarche. Un de ses amis le fit cependant en secret pour lui. Plus tôt dans la journée, alors que le père Mackey se préparait à quitter sa demeure, un membre de la garde royale du roi se présenta à sa porte. Il apportait de la part du roi une caisse contenant des bouteilles des meilleurs alcools. Il y avait aussi une carte et un petit boîtier qui renfermait la médaille Druk Zhung Thuksey. Pendant son discours, Lyonpo Dawa signala que le fait de recevoir la médaille Druk Zhung Thuksey représentait un honneur très rare. Et le père Mackey était sûrement la première personne à la recevoir à deux reprises.

Après la remise des cadeaux et les discours, l'assistance entonna joyeusement la chanson «Happy Birthday». Le temps était venu pour le père Mackey de prendre la parole. Il se rappela sommairement les principaux événements depuis sa venue au Bhoutan, profitant de l'occasion pour y aller de quelques bavardages et s'amuser aux dépens de ses anciens étudiants. Pour les membres de l'assistance, il ne faisait cependant aucun doute que le jésuite éprouvait un immense sentiment de fierté, tant pour ses accomplissements que pour la reconnaissance que lui démontrait le peuple de son pays d'adoption. Le discours du prêtre terminait la portion formelle de la soirée.

Le dîner, comme toujours, représente pour les Bhoutanais une partie importante de toute célébration. Pendant que les organisateurs préparaient le buffet, on servit un verre aux invités pour leur laisser le temps de discuter entre eux. Le repas était à la hauteur de ce qui avait précédé dans la soirée. Il se composait d'une variété de plats bhoutanais : assortiments de viande, dont une tête de porc; *hemadatsi,* plat avec fromage blanc (*datsi*) et piments forts; riz rouge, que l'on ne retrouve paraît-il qu'au Bhoutan; salade bhoutanaise (*eze*), composée de *datsi*, d'oignons râpés finement et de piments; et de nombreux autres plats, dont du dhal et différents types de curry à l'indienne. Comme breuvages, il y avait de la bière et des boissons non alcoolisées. Un véritable festin...

Après le repas, les invités bhoutanais se rassemblèrent de façon spontanée à l'avant de la scène pour une danse traditionnelle. Les danseurs se placèrent en cercle et, au rythme de leurs propres chants, se déplacèrent avec de petits pas rythmés vers l'avant et l'arrière, en faisant des gestes avec les mains et en pivotant leur corps. Pour celui qui ne l'avait jamais essayé, cette danse paraissait lente et simple à effectuer. Mais une fois qu'il se joignait à la danse, il pouvait se rendre compte à quel point les apparences peuvent être trompeuses. Les pas et les gestes sont intiment liés, et le rythme lent est malgré tout difficile à suivre. Fort heureusement, les Bhoutanais acceptent avec humour les tentatives souvent ridicules des étrangers qui participent à la danse.

Le dernier événement de la soirée était la danse traditionnelle appelée Tashi Lebey à laquelle tout le monde participa de bonne grâce. Il semble impossible de comprendre exactement ce que ressentent les Bhoutanais lorsqu'ils exécutent cette danse. Mais pour l'auteur de ces lignes, elle représente probablement la façon idéale de terminer une soirée de fête. Une conclusion parfaite et un peu émouvante. La danse Tashi Lebey rapprochait tous les participants en une sorte de communion et représentait le paroxysme de cette démonstration d'amour qui avait duré plus de cinq heures pour honorer un homme humble et méritant, à la fin d'une vie passée près de Dieu et des personnes qu'il avaient servies.

Épilogue

Au Bhoutan, les fêtes d'anniversaire ne font pas partie des coutumes traditionnelles. À la naissance, les Bhoutanais considèrent que l'enfant est déjà âgé d'un an et, à chaque Losar (Nouvel An bhoutanais), tous les citoyens vieillissent d'un an. Selon la coutume bhoutanaise, le père Mackey avait par conséquent déjà 75 ans en 1989, même si son âge «officiel» était alors 74 ans. Et pour ce peuple qui n'acceptait pas facilement des étrangers en son sein, ce fut un geste tout à fait exceptionnel que les citoyens de ce pays décident d'organiser une fête pour célébrer les trois quarts de siècle de vie du prêtre catholique venu s'établir chez eux 36 ans plus tôt.

Le jésuite canadien demeura l'inspecteur en chef des écoles du Bhoutan jusqu'en 1992. Le ministère de l'Éducation avait graduellement augmenté les effectifs de ce département, créant trois équipes d'inspecteurs afin de couvrir tout le territoire bhoutanais. Leur mandat avait en outre été élargi. En plus de visiter les grandes écoles, ils devaient maintenant se rendre dans les écoles primaires, même dans les coins les plus reculés. Les inspecteurs devaient marcher des heures, et même des jours s'il le fallait, pour rejoindre ces endroits.

Le père Mackey, maintenant âgé de soixante-quinze ans, accepta d'être déchargé de quelques-unes de ses responsabilités. Il voyageait le plus souvent à dos de poney et laissait à des confrères plus jeunes l'inspection des écoles des régions reculées, surtout quand il fallait marcher plusieurs jours dans la jungle pour s'y rendre. Mais avec un nombre toujours plus grand d'inspecteurs, il avait, à titre de responsable, une quantité toujours croissante de rapports à analyser, à synthétiser et à discuter.

En 1991, après avoir appris que sa soeur Tess était gravement malade, le père Mackey se rendit de toute urgence au Canada. Il était en tournée au Bhoutan oriental lorsque la nouvelle lui parvint et Mindu dut conduire 24 heures sans arrêt pour revenir à Thimphu. Le père Mackey prit quelques heures pour faire ses valises et régler les questions urgentes, puis Mindu reprit le volant en direction de Siliguri où ils arrivèrent huit heures plus tard. Le jésuite prit d'abord un vol vers Delhi et, ensuite, un autre vers le Canada. À son arrivée à Montréal, il constata avec soulagement que Tess n'avait subi qu'une mauvaise chute, et que son état n'était pas aussi sérieux que le message reçu au Bhoutan ne l'avait laissé entendre. Il profita de sa présence dans son pays natal pour participer à diverses célébrations des jésuites, dont le 450ᵉ anniversaire de l'acceptation formelle de la compagnie de Jésus par le pape Paul III et le 500ᵉ anniversaire de la naissance de saint Ignace de Loyola. William Mackey prit aussi part à un pèlerinage de six jours et visita les nombreux endroits où étaient morts les martyrs canadiens. La plus longue randonnée était de 26 kilomètres. Selon lui, les jésuites du Canada ne semblaient pas apprécier les marches à pied autant que leurs confrères en Inde, probablement parce qu'ils étaient mieux nourris...

Le père Mackey revint aussi au Canada en 1992 pour célébrer ses soixante ans d'appartenance à l'ordre des jésuites. Il s'agissait là d'un accomplissement assez rare. Avant de retourner au Bhoutan, William Mackey fit escale à Dublin, en Irlande, où l'organisation des volontaires en poste à l'étranger de ce pays avait préparé une fête en son honneur. Cette organisation envoyait des professeurs volontaires au Bhoutan depuis de nombreuses années, et ses dirigeants avaient pu constater l'immense travail effectué là-bas par le jésuite canadien.

Plus tard cette même année, le gouvernement du Bhoutan décida de rendre un nouvel hommage au père Mackey. Il fut nommé conseiller d'honneur, à vie, en matière d'éducation. Le gouvernement du Canada lui remit également une belle surprise pour souligner l'occasion : une nouvelle jeep Isuzu. Le jésuite avait en effet laissé entendre que son vieux véhicule, tout comme lui, commençait à ressentir le poids des ans. Le prêtre était maintenant âgé de 77 ans et ne visitait plus que les écoles accessibles par les routes. Mais il avait aussi conservé d'autres fonctions. Il s'occupait toujours des stages et des ateliers de perfectionnement pour les professeurs ainsi que de la production des textes et des manuels pour aider les professeurs dans leurs tâches.

Le père Mackey quitta par la suite le poste d'inspecteur en chef des écoles bhoutanaises et passa de plus en plus de temps à écrire sur différents sujets dont, entre autres, l'histoire du système d'éducation au Bhoutan. Le ministère de l'Éducation considérait le jésuite un peu comme son «ambassadeur itinérant». Il aimait encore se promener d'un coin à l'autre du pays et accompagnait souvent, quand c'était possible, une équipe d'inspecteurs dans ses déplacements.

En 1994, l'Université du Nouveau-Brunswick, au Canada, décerna au père Mackey un diplôme honorifique de docteur ès lettres. Des représentants de cette université étaient présents au Bhoutan depuis plus de dix ans, apportant leur aide au personnel de l'Éducation supérieure. L'université avait accueilli également de nombreux Bhoutanais au Canada. Une des personnes qui avaient soutenu la nomination de William Mackey était nul autre que l'ancien premier ministre du Canada, Pierre Elliot Trudeau. C'est le jeune frère de ce dernier, Charles, qui avait crié «mon père» et lancé une souris au jeune Bill Mackey cinquante-cinq ans plus tôt alors qu'ils étudiaient tous les deux au Collège Brébeuf à Montréal.

Le père Mackey pouvait demeurer au Bhoutan aussi longtemps qu'il le désirait. Il était citoyen de ce pays, après tout. Par ailleurs, sa nomination à vie comme conseiller l'assurait d'un revenu, même s'il devenait incapable de travailler. «J'ai travaillé vingt-neuf ans ici, dit-il. Je suis très honoré de pouvoir passer les derniers moments de ma vie dans un pays que je respecte énormément et parmi un peuple que j'adore.»

Même si plusieurs de ses vieux amis étaient maintenant décédés, le père Mackey comptait encore sur plusieurs bons amis au Bhoutan. Il y avait, bien entendu, ses anciens élèves mais aussi ceux qui avaient partagé sa vie et son travail au Bhoutan : la reine mère, Ashi Kesang; Son Altesse Royale, Namgyal Wangchuk; et Lyonpo Dawa Tsering. Ces personnes passaient non seulement du temps en compagnie du jésuite, mais se préoccupaient aussi beaucoup de son bien-être.

Compte tenu de sa grande vitalité, de son sens de l'humour et de son amour de la vie, le père Mackey était constamment en demande pour assister à des soirées, tant officielles que privées. Il recevait aussi occasionnellement des invités dans sa demeure, et ses amis se sentaient toujours libres de venir le visiter aussi souvent qu'ils le désiraient. Ce n'était peut-être plus la vie simple de Tashigang dans les années

60, alors que toute la communauté vivait comme une grande famille, mais il s'agissait tout de même d'une bonne vie pour le vieux jésuite. Mindu demeurait son chauffeur et son adjoint dévoué. Pour sa part, Kunzang Chhoedron, la femme de Mindu, s'occupait de la maison. Tout le monde semblait heureux de cet arrangement. Et le père Mackey continuait à dire la messe tous les dimanches pour son petit groupe de fidèles.

Lorsqu'il parlait de sa vie au Bhoutan, le père Mackey ne se rappelait que de peu de mauvais moments. À l'opposé de sa période en Inde où il eut de nombreux démêlés avec les dirigeants indiens, il ne connut pas de problèmes majeurs avec les autorités gouvernementales bhoutanaises. Il fut heureux tout au long de son séjour au Bhoutan, mais les années passées à Tashigang au tout début, furent sans contredit les meilleures pour lui. Le jésuite avait adoré les gens parmi lesquels il avait vécu dans cette ville. Tamji Jagar, son fidèle compagnon, avait personnifié à cette époque les valeurs et les comportements si importants pour le prêtre canadien. Sa sagesse, sa loyauté, sa générosité et sa chaleur l'avaient beaucoup impressionné, et il le considérait comme un grand serviteur du roi et de son peuple.

Phongmey Dungpa, un ami proche du jésuite, était tout aussi dévoué à son travail et à son pays. Les bénéfices matériels ne l'intéressaient pas du tout et il n'accumula aucune richesse durant sa vie. Le père Mackey se rappelait avec tendresse ses autres amis à Tashigang, comme Babu Tashi, Ten Dorje, M. Kharpa et Lopen Jamphel, qui eux aussi avaient fait preuve d'un rare sens de noblesse. Au fur et à mesure que le Bhoutan s'imprégnait de modernité, ces qualités avaient tendance à disparaître. Mais maintenant, de tous les vieux amis bhoutanais du jésuite, seul Ten Dorje était encore vivant.

Le père Mackey avait également côtoyé des étrangers à Tashigang. Il avait particulièrement apprécié la compagnie du docteur Anayat et de sa femme, Lingshay, ainsi que celle du frère Quinn et du père Coffey, ses confrères jésuites et amis. Le père Coffey mourut en 1993, tandis que le frère Quinn est à présent de retour au Canada car il est gravement malade. Par contre, le docteur Anayat et sa femme sont toujours en excellente santé et très actifs.

William Mackey était aimé des Bhoutanais et des étrangers résidant au Bhoutan, non pas à cause de son travail ou de sa spiritualité mais parce qu'il les acceptait comme ils étaient. Il démontrait beau coup de respect pour leur mode de vie, leurs valeurs et leur religion. Il ne faisait preuve d'aucune forme de condescendance et n'essayait jamais de les «sauver». Il voulait apprendre d'eux et s'enrichissait de ce qu'il trouvait en eux.

Le travail qu'il avait effectué à Tashigang, et ensuite à Sherubtse, était une autre raison pour laquelle le père Mackey avait tant aimé ses années passées au Bhoutan oriental. Il possédait la compétence et l'expérience nécessaires pour un tel travail, et les autorités bhoutanaises lui avaient laissé toute la latitude nécessaire pour l'accomplir. Le solide appui que le jésuite avait reçu de Ashi Dechen lui avait également été très utile. Cet appui des autorités et de la famille royale lui avaient permis de mener à bien la tâche qu'on lui avait confiée, et les résultats obtenus avaient prouvé hors de tout doute qu'il avait mérité toute la confiance que les Bhoutanais avaient placée en lui.

Même si le Bhoutan est, sous plusieurs aspects, une société régie par le protocole et les convenances, la vie à Tashigang était très simple et presque sans formalités. Toutefois, avec la modernisation de la société bhoutanaise, la bureaucratie et les tracasseries administratives devinrent de plus en plus omniprésentes. Au moment où le père Mackey quitta l'école de Tashigang pour Sherubtse, il n'avait plus la liberté de faire les choses comme il l'entendait. Il voyait aussi son transfert à Jigme Sherubling, quelques années plus tard, comme une tentative pour retrouver la simplicité qu'il avait connue lorsqu'il dirigeait une école ordinaire. Cette ère était toutefois révolue...

À Thimphu, par exemple, William Mackey dut composer avec une bureaucratie fermée et insensible aux préoccupations des gens ordinaires. Elle ressemblait sous plusieurs aspects à ce que l'on retrouve dans des sociétés plus modernes. Dans la capitale, il y avait maintenant des ordinateurs un peu partout, alors qu'il n'y avait même pas d'électricité trente ans plus tôt. Même le père Mackey possédait son ordinateur personnel... Lorsqu'il parlait de la modernisation du Bhoutan, le jésuite avouait qu'il lui était «difficile de saisir tous les changements qui se sont produits depuis trente ans. Nous sommes passés d'une société bouddhiste tibétaine presque médiévale qui fonctionnait sans papier-monnaie à une société moderne et éduquée dotée d'une bureaucratie très développée». Il compatissait aux difficultés de la tâche du nouveau roi du Bhoutan. Selon lui, diriger ce pays de nos jours pouvait se comparer «à la conduite d'un bobsleigh engagé sur une piste glacée aux virages serrés et aux pentes abruptes». De nombreuses décisions importantes doivent être prises à tout moment avec très peu de temps pour s'y préparer adéquatement. Une erreur dans ce domaine peut souvent entraîner une catastrophe.

La préoccupation première du père Mackey fut toujours pour les enfants et leur éducation. Pour lui, l'instruction ne devait pas être uniquement la mémorisation d'informations. «Il faut également tenir compte, d'une façon intelligente et créatrice, de l'environnement dans lequel on vit et du monde en général», répétait-il souvent. Le jésuite s'interrogeait en outre sur les moyens de renforcer la culture et la religion d'un peuple. Il approuvait certains des changements survenus au Bhoutan, mais pas tous. Il croyait qu'il était essentiel d'adapter toutes ces nouveautés à la réalité du pays. Toutefois, quelle que soit son opinion face à une décision du gouvernement, le père Mackey essayait toujours d'apporter son aide autant qu'il le pouvait et, pour le reste, il laissait la vie suivre son cours...

Les années à Tashigang avaient aussi grandement marqué William Mackey par l'atmosphère très fortement empreinte de spiritualité qui y régnait à cette époque. C'est pourquoi il avait aussi bien accepté la proscription par les autorités bhoutanaises de toute forme de prosélytisme de la part des étrangers. Le père Mackey avait trouvé dans les bouddhistes du Bhoutan, tout comme dans les hindous de Darjiling et du sud du Bhoutan, des gens qui faisaient preuve de la même ferveur religieuse que lui-même essayait de maintenir malgré tout. «Je suis un meilleur jésuite, un meilleur prêtre et un meilleur être humain grâce aux années que j'ai passées au Bhoutan et en Inde, avouait le jésuite. Je suis convaincu que l'Esprit est également présent dans le bouddhisme et l'hindouisme. Il est présent chez les gens simples du Bhoutan. Ce pays et ses gens m'ont enseigné à prier. Avant, j'essayais de comprendre Dieu avec mon esprit, mais c'est impossible. Les Bhoutanais m'ont appris à comprendre Dieu avec mon coeur, à le rencontrer grâce à la prière et à le voir en tout.»

William Mackey parlait aussi de sa vision des relations entre les différentes cultures. «Je suis parfaitement à l'aise, disait-il, dans un *lhakhang* bouddhique, un temple hindou ou une église catholique. L'Esprit saint se manifeste souvent de façon étrange. Il ne faut pas laisser l'esprit étroit de l'homme minimiser l'amour que porte Dieu à tous les hommes de la terre. Ma foi chrétienne s'est enrichie et est devenue vivante au contact de ces gens. Ils m'ont enseigné à m'accepter et à accepter les autres comme nous sommes, de la manière que Dieu nous a fait et non pas comme nous croyons être.» Et le jésuite continuait en ajoutant : «Nous devons faire preuve d'une plus grande confiance et d'une plus grande foi envers la nature humaine. Tous les hommes cherchent leur route vers Dieu, souvent d'une façon compliquée ou même troublante. Personne ne peut conserver la raison sans la foi. C'est le cadeau de Dieu à tous les hommes et à toutes les femmes de ce monde. Je souhaite que tous répondent à la foi que Dieu place en nous et en la nature humaine.»

Compte tenu de cette approche, on pourrait peut-être se demander si le père Mackey a réussi sa carrière de missionnaire traditionnel. Comme il le disait de temps à autre, s'il a pu amener les gens à lui, à l'éducation, aux valeurs bouddhistes, à l'amour du pays et de sa culture, alors il a réussi à les rapprocher du Christ et de son message, qui est l'amour de Dieu et de son prochain. À ceux qui remettaient en question sa foi chrétienne à cause de son ouverture au bouddhisme, le jésuite affirmait : «De nombreuses personnes croient que je suis un hérétique. Je suis cependant convaincu que Dieu me donne son amour. C'est tout ce qui compte.»

Après une vie bien remplie consacrée à servir les autres, le père William Mackey mourut à l'hôpital de Timphu, la capitale du Bhoutan, dans la soirée du 18 octobre 1995.

Glossaire

Les définitions suivantes et leurs sources en langages spécifiques sont très sommaires.

Ama : terme de civilité : madame; mère (tsangla).

Apsoo : race de chien de l'Himalaya; marque de commerce d'un rhum fabriqué au Bhoutan.

Ara : eau de vie, distillée à partir de céréales fermentées (dzongkha, tsangla).

Ashi : princesse, dame de la noblesse (dzongkha, tsangla).

Badmash : fripon, coquin (népalais, hindi, ourdou).

Bangchung : panier double de bambou fendu et tressé dont les deux moitiés s'ajustent étroitement pour former un contenant clos (dzongkha, tsangla).

Choedrom : table bhoutanaise basse (50 cm) rectangulaire (dzongkha, tsangla).

Chorten : monument religieux de pierres blanchies à la chaux, de styles et de grandeurs variables. Au Bhoutan, ils sont en majorité construits selon le style tibétain : structure en pointe de cinq à six mètres de hauteur sur une base carrée de 3 mètres de côté. De signification et de structure complexes, il symbolise l'esprit de Bouddha, à qui il est dédié (dzongkha, tibétain, tsangla).

Choekey : langage tibétain classique.

Chu : rivière (dzongkha).

Dantak : organisation paramilitaire indienne affectée à la construction des routes. Elle a construit certaines routes au Bhoutan.

Dasho : «Le Meilleur»; titre d'honneur, semblable à celui de chevalier, décerné par le roi du Bhoutan pour services méritoires. Le roi le signifie en attribuant à la personne un *kabney* rouge et un sabre. Décerné presque automatiquement aux membres influents de la famille royale; titre de politesse pour les dirigeants haut placés de l'État (dzongkha, tsangla).

Dhal : légume sec (lentille); un plat épicé et mijoté de ces lentilles.

Diwali : festival hindou des lumières, célébré en automne (hindi).

Dorje : coup de tonnerre; objet le représentant qui possède une grande signification religieuse; symbolise du bouddhisme tantrique (dzongkha, tibétain, tsangla); utilisé fréquemment comme nom de personne, s'écrit aussi Dorji.

Driglam namzha : code de l'étiquette traditionnelle bhoutanaise (dzongkha).

Druk : dragon (dzongkha, tibétain, tsangla).

Druk Yul : «pays du dragon»; nom du Bhoutan en dzongkha.

Druk Zhung Thuksey : «Fils spirituel du Bhoutan»; titre honorifique, assorti d'une médaille, que décerne le roi du Bhoutan.

Drukpa : à l'origine, les adeptes de l'école de bouddhisme tibétain Drukpa Kagyupa, l'école religieuse officielle du Bhoutan; d'où le nom attribué aux habitants de l'intérieur du Bhoutan (dzongkha, tibétain, tsangla).

Dunkhag : sous-district (dzongkha).

Dungpa : administrateur en chef d'un *dungkhag*.

Dzong : forteresse; siège du pouvoir civil et religieux, particulièrement d'un *dzongkhag* (dzongkha, tibétain, tsangla).

Dzongdag : «maître du *dzong*»; de nos jours, l'administrateur en chef d'un *dzongkhag* (dzongkha).

Dzongkha : «langage du dzong»; langage officiel du Bhoutan indigène au Bhoutan occidental dérivé du tibétain.

Dzongkhag : district administratif (dzongkha).

Dzongpon : «maître du dzong»; désignation antérieure de l'administrateur en chef d'un *dzongkhag*.

Gelong : moine célibataire.

Go (ko) : vêtement masculin bhoutanais; robe croisée ample atteignant les chevilles, froncée, relevée et maintenue fermement à la taille pour présenter un bas qui s'arrête à la hauteur des genoux et un haut formant une poche (dzongkha).

Gompa : monastère (dzongkha, tibétain, tsangla).

Guluphulu : coquin, fripon, sot (origine incertaine).

Jigme : «courageux, intrépide» (dzongkha, tibétain, tsangla); employé fréquemment comme nom de personne.

Kabney : écharpe de cérémonie, destinée aux hommes, fait de soie ou de coton et tissé à la main (dzongkha).

Kashog : proclamation ou document officiels.

Kata : foulard de cérémonie blanc offert en signe de bon augure

La : col de montagne (dzongkha, tibétain, tsangla).

Lam Neten : supérieur régional de l'ordre monastique d'État.

Lepcha : ethnie tibéto-birmane de la région du Sikkim-Darjiling.

Lhakhang : temple bouddhique (dzongkha, tibétain, tsangla).

Lhotsampa : peuple du Bhoutan méridional d'origine népalaise (dzongkha).

Lopen : «maître»; titre attribué à celui qui a reçu une éducation tradition- nelle (monastique); professeur, érudit (dzongkha, tibétain, tsangla).

Losar : Nouvel An bhoutanais, survient en février-mars (dzongkha, tibétain, tsangla).

Lyonpo : ministre (du gouvernement) (dzongkha, tibétain, tsangla).

Ngalong : peuple du Bhoutan occidental qui parle dzongkha (dzongkha).

Ngultrum : unité monétaire du Bhoutan, à parité avec la roupie indienne (dzongkha).

Nyerchen : percepteur d'impôts, intendant de district (dzongkha, tsangla).

Rabjam : employé principal, assistant, «bras droit» de fonctionnaires comme le *thrimpon* ou le *nyerchen* (dzongkha, tsangla).

Sarchopa : peuple du Bhoutan oriental parlant le tsangla (tsangla).

Sarchopkha : nom usuel du langage principal du Bhoutan oriental. Son nom officiel est le tsangla.

Suja : «thé au beurre» fait d'eau chaude, de beurre, d'un type de thé, de sel et de bicarbonate de soude, mélangé ensemble dans une baratte spéciale. (dzongkha, tsangla).

Thrimpon : «maître de la loi» (dzongkha, tibétain, tsangla); administrateur en chef du district de Tashigang à l'arrivée du père Mackey.

Tsangla : langage principal du Bhoutan oriental.

Umdze : maître de chapelle dans une communauté monastique (dzongkha, tibétain, tsangla); chef attitré du corps monastique du *dzong* de Tashigang à l'arrivée du père Mackey.